LETTRE À JIMMY

Aux Éditions du Seuil

Mémoires de porc-épic, roman, 2006,
et en poche, « Points », 2007
Prix Renaudot
Prix Aliénor d'Aquitaine
Prix de la Rentrée littéraire, la Forêt des livres
Prix Créateurs sans frontières

Verre cassé, roman, 2005, et en poche, « Points », 2006
Prix *Ouest-France*, Étonnants Voyageurs
Prix des Cinq Continents de la Francophonie
Prix RFO du livre

Tant que les arbres s'enracineront dans la terre,
œuvre poétique complète, 2004,
et en poche, « Points », 2007

African Psycho, roman, 2003 et en poche, « Points », 2006

Les Petits-Fils nègres de Vercingétorix,
roman, 2002, et en poche, « Points », 2006

Chez d'autres éditeurs

Et Dieu seul sait comment je dors, roman,
Présence africaine, 2001

L'Enterrement de ma mère, récit,
Kaléidoscope, Danemark, 2000

Bleu Blanc Rouge, roman, Présence africaine, 1998
Grand Prix littéraire de l'Afrique noire

Alain Mabanckou

Lettre à Jimmy

(À l'occasion du vingtième anniversaire de ta mort)

ISBN : 978-2-213-62676-5

Or le fait le plus marquant à Paris fut, peut-être, la relation entre les Noirs américains, les ressortissants d'Afrique noire et les Algériens... J'étais traité, de loin, comme j'allais m'en rendre compte, différemment d'eux, tout simplement parce que j'avais un passeport américain. Je pouvais ne pas apprécier une telle situation privilégiée, c'était cependant la réalité... Si j'avais été africain, Paris aurait été une ville différente pour moi...

James Baldwin, interview accordée le 29 décembre 1961, in *Conversations with James Baldwin*, University Press of Mississippi, 1989.

Le vagabond de Santa Monica

Alors que les mouettes désertent Santa Monica State Beach et qu'au loin tangue une embarcation prise dans une vague, je suis envahi par ta présence comme à chaque fois que j'erre ici, le regard rivé à l'horizon, guettant la disparition du soleil. Je m'étends alors sur le sable, les nuages semblent dessiner des silhouettes fantasmagoriques — aujourd'hui une femme âgée à la démarche hésitante.

Je voudrais oublier le monde qui m'entoure, la clameur de la rue, les images des derniers films que j'ai vus, les livres encore ouverts sur ma table de travail.

Au fond, j'envie le vagabond que j'aperçois à l'autre bout de la plage de Santa Monica, avec sa barbe grise qu'il n'a plus rasée depuis des années et qui lui descend sur la poitrine. Jamais un inconnu n'avait autant capté mon attention, m'incitant à le pister, comme si j'attendais de lui la clé des énigmes auxquelles je suis confronté quand je te lis. Je ne peux m'empêcher de m'interroger sur son existence, avec l'espoir secret qu'un jour j'arriverai enfin à lui parler de toi. Je sais qu'il prendra le temps de m'écouter, lui qui converse à longueur de journée avec des personnages invisibles, rit à gorge déployée sans raison apparente, urine au pied d'un arbre, oublie de fermer sa braguette, s'énerve à l'envol des goélands, s'assoit sur ses godasses éculées par l'errance. Le plus étrange, tiens-toi bien, cher Jimmy, c'est qu'il construit de gigantesques châteaux de sable où il songe habiter en roi des chimères avec sa cour, sa famille, ses sujets, sa garde. Mais, soudain, il démolit son royaume d'un coup de pied nerveux et redevient loque humaine.

Alors, dépité, il prolonge son aventure vers la grande roue du Pacific Park où se précipitent d'ordinaire les touristes de Santa Monica. Je le vois sortir une écuelle d'une poche de ses hardes et faire la manche jusqu'à la tombée de la nuit. On dirait un personnage échappé de l'un de tes romans !

C'est à lui, à ce vagabond, que je dédie cette lettre.

1.

Une mère courageuse,
un père qui ne s'aimait pas

La photo est devant moi, accrochée au mur. Ce sont d'abord tes yeux qui retiennent mon attention. Ces grands yeux à fleur de tête que raillait naguère ton père, ignorant qu'ils questionneraient plus tard les âmes, perceraient la part la plus ténébreuse de l'humanité avant de se fermer à jamais, avec toutefois la volonté de poursuivre leur quête dans l'autre monde.

Regard vers le ciel, sourcils bien relevés. À quoi penses-tu au moment où le photographe pose son objectif sur toi ?
L'image est en noir et blanc.
Elle m'apparaît aujourd'hui comme le prolongement de tes personnages qui ont ta voix, tes gestes, ton rire, ta colère, ton exaspération. J'ai beau m'attarder sur ce demi-sourire interrompu

sans doute par le flash au moment où tu redressais la tête vers la droite, je sais qu'il gardera son mystère…

Tu es vêtu d'une chemise blanche à manches longues, la cravate noire desserrée, une cigarette calée entre l'index et le majeur. Chacune de tes rides est une sente à suivre, à explorer jusqu'à l'envoûtement. Il m'arrive, te dévisageant ainsi, d'imaginer que se tisse entre nous un dialogue, et tu m'écoutes, amusé par mes questions sans queue ni tête.

Quand je retourne la photo – c'est devenu un réflexe –, je relis à voix haute les quelques mots que j'ai griffonnés dessus : « Quel temps fait-il au paradis, Jimmy ? »

*
* *

L'image me ramène dans les années 20, devant un établissement public, Harlem Hospital, à New York City. Emma Berdis Jones est alors âgée de vingt-huit ans. En ce 2 août 1924, elle met au monde un enfant hors mariage, donc illégitime, donc bâtard. Et toi, tu viens au monde par la petite fenêtre. Tes yeux ne craignent pas la lumière, tout au plus ils cernent l'environnement et enregistrent pour plus tard les blessures d'une société écartelée, bâtie sur une mosaïque d'«ethnies». Les unes dominent, dirigent, décident. Les autres subissent, respectent les limites du ghetto, n'ont pas le droit de s'asseoir près du Blanc dans les transports en commun...

Emma Berdis Jones est certaine que quiconque arrive sur terre par la petite fenêtre finit un jour par se révolter. Or, à cette époque, son existence est des plus précaire. Petits boulots. Le plus souvent, elle se place comme femme de ménage. Avec ta naissance, elle se dit que son errance est enfin terminée ; elle a laissé derrière elle Deal Island, dans le Maryland, puis Philadelphie avant d'échouer à New York. C'est là qu'elle a croisé David Baldwin, un homme qui pourrait être son père mais qui acceptera de devenir le tien. Un homme dont la fille aînée, issue d'un premier mariage, est plus âgée que ta mère, tandis que son dernier fils, Samuel, est ton aîné de huit ans. Un homme qui va te donner son nom. Car pour Emma, à laquelle tu dédieras ton chef-d'œuvre, *No Name in the Street*, c'est bien l'unique obsession : te nommer.

Au fond, qu'est-ce qu'un nom ? Presque rien. Mais un nom dit tout et nous dévoile au monde.

13

On le porte avec fierté lorsqu'on peut le rattacher à un passé glorieux. Il devient une humiliation lorsqu'il évoque l'«illégitimité». Tu ne porteras pas longtemps le nom de ta mère, Jones, puisqu'en 1927, trois ans après ta naissance, elle épouse enfin David Baldwin.

Ce jour-là tu deviens James Arthur Baldwin...

Tu garderas ce nom jusqu'à la fin de ton existence, sans jamais le renier ou le changer, contrairement à d'autres gloires de l'histoire afro-américaine : Malcolm Little (devenu Malcolm El Shabbaz, puis Malcolm X) ou Marcellus Cassius Clay Jr (devenu Muhammad Ali), ou encore le dramaturge et poète Everett LeRoi Jones (devenu Amiri Baraka).

En conservant le nom de Baldwin, tu es conscient de perpétuer bien malgré toi une lignée pétrie de rapports funestes, de domination, de fouet, de traite négrière. Tu n'es en réalité que «le nègre» d'un certain Baldwin, ce «maître blanc qui, quelques siècles plus tôt, était entré en possession d'un des aïeux de David [1]».

Entre ceux qui prônent le retour aux sources — fascinés par les théories des leaders panafricanistes comme Marcus Garvey — et les Noirs américains qui substituent à leur patronyme la lettre X afin de marquer leur appartenance à la grande nation musulmane, tu dois préciser ta situation rendue plus complexe encore du fait de ta double bâtardise : celle, intime, liée à un père biologique inconnu, et celle, historique, lointaine, issue de la traite négrière. La lettre X, en vogue, marque alors l'inconnue d'une équation à résoudre, un long itinéraire à reconstituer et qui mènerait jusqu'à ce village reculé d'une côte du continent noir où des Africains, tes ancêtres, ont été capturés et arrachés à leurs terres par les négriers : « Le Noir américain a une identité unique. Il n'a d'homologues nulle part et pas de prédécesseurs. Les musulmans réagissent à ceci en parlant du "Noir dit américain" et en substituant aux noms hérités de l'esclavage la lettre X[2]. »

Avec ce nom de Baldwin, tu veux signifier à la descendance du maître – mais aussi à celle de l'esclave – les errements de l'histoire, les exactions et les humiliations endurées : « Je m'appelle Baldwin parce que je fus soit vendu par ma tribu africaine, soit volé à elle pour tomber entre les mains d'un chrétien blanc du nom de Baldwin qui me força à m'agenouiller au pied de la croix[3]. »

15

*

* *

Es-tu né du bon côté ? As-tu la bonne couleur de peau ?

Tu admires ta mère, cette « petite femme courageuse », Emma, incarnation de l'endurance, du courage et de l'abnégation. Elle a neuf enfants à charge et redoute de ne pas parvenir à les élever à cause de la rue, de « ce ghetto de Harlem » où « les loyers sont de 10 à 58 % plus élevés que partout ailleurs à New York ; la nourriture, coûteuse, l'est encore plus ici bien qu'elle soit de qualité inférieure ; depuis que la guerre est finie et l'argent rare, on lèche consciencieusement les vitrines de vêtements, mais on en achète rarement [4]... »

Le Harlem dans lequel vous vivez est un amoncellement de taudis, le repaire de la prostitution, de la drogue, de la tuberculose, de l'alcoolisme, de la criminalité, et surtout le théâtre des exactions raciales les plus criardes – parce qu'elles se déroulent parfois sous les yeux de la police quand ce n'est pas celle-ci qui les commet ou en tire les ficelles dans l'ombre. Emma Berdis Jones te met en garde contre « la rue » qui corrompt, qui détourne, qui pervertit.

16

L'impression est celle d'un quartier abandonné, détaché du reste de New York. Et quand éclatent les émeutes du 19 mars 1935, après l'assassinat d'un Noir par un policier blanc — une dizaine de milliers d'hommes s'en prennent alors aux magasins des Blancs, faisant fuir du quartier une bonne partie de la classe moyenne —, tu estimes que, malgré l'indignation générale, les autorités politiques, qui multiplient les discours, créent des comités de réflexion, détruisent quelques taudis pour les remplacer par des complexes d'habitations à loyers modérés, ne prennent toutefois pas de mesures concrètes et efficaces afin d'« atténuer le mal sans, pour autant, agrandir ou démolir le ghetto ». Et cette vaine agitation ressemble, pour toi, à « un maquillage sur un visage de lépreux[5] ».

Entre le ghetto et le centre-ville, pourtant situé à quelques pâtés d'immeubles, il y a un monde. Quand tu te rends à la bibliothèque publique de la 42e Rue, tu as le sentiment d'entrer dans un autre univers. Ici, la plupart des habitants sont propriétaires. Et ils tiennent à vous le faire savoir, à vous autres, gens de couleur. Au besoin, la police se charge de vous le signifier.

Dans de telles conditions, tes frères et toi considérez qu'Emma est trop encline à l'absolution, à l'indulgence envers son prochain, tout le contraire de David Baldwin. C'est encore elle qui te répète : « Tu as beaucoup de frères et de sœurs. Tu ne sais pas ce qui peut leur arriver un jour ou l'autre. [...] Donne-leur de l'amour[6]. »

Quelle est cette fratrie à protéger ? Barbara, Gloria, Paula, Ruth, tes sœurs. Tes frères : Samuel, George, Wilmer et David – l'obsession de ton père pour le prénom de David est patente : outre que c'est le sien, il a déjà un fils d'un premier lit prénommé ainsi lorsqu'il épouse ta mère, et il donne à l'un de tes frères puînés le même prénom. C'est, dirait-on, « la maison de David ».

Emma incarne la sécurité, la protection familiale, tandis que David Baldwin est distant, absorbé par sa foi religieuse. Il travaille comme ouvrier dans une usine, mais chaque dimanche vous le voyez arborer avec fierté veste sombre et couvre-chef, puis, bible sous le bras, aller prêcher dans les entrepôts désaffectés de Harlem.

Pour tout endurer sans jamais se plaindre, Emma Berdis est-elle une sainte ?

« Je ne la décrirais pas comme une sainte, ce qui est une chose terrible. Je sais que c'est une belle femme. Quand je repense à elle, je me demande comment elle a fait dans ce monde pour élever neuf enfants, supporter cet entourage, ce ghetto, ces métros. Aucune sainte n'aurait pu y parvenir. Au fond, c'est une belle femme, un être fantastique. Elle a sauvé notre vie[7]. »

*
* *

Qu'en est-il cependant de ton père biologique ?

Tu ne le connais pas. Tu ne le connaîtras jamais. Et cette ignorance sera un des plus profonds tourments de ton adolescence. Les ombres portées de ce nuage obscur se retrouvent disséminées dans la plupart de tes écrits. Ton ami et biographe David Leeming explique combien la question de l'« illégitimité » constitue pour toi une inquiétude permanente, au point qu'on peut la déceler dans les titres de certains de tes livres : *Personne ne sait mon nom*, *Étranger dans le village*[8]...

Leeming nuance cependant : si la quête du père te hante, il ne s'agit pas du père biologique – tu considères David Baldwin comme ton propre père, et lorsque tu l'évoques, tu éprouves plutôt de la fierté à porter son nom. En fait, poursuit le biographe, tu rêves d'un père qui t'accompagnerait dans ta longue marche vers l'écriture, et dans ton activité de prédicateur à laquelle tient David Baldwin. Or, avec ce dernier s'établit, dès ton adolescence et au moment où tu deviens pasteur, une relation plus complexe qu'il n'y paraît, ainsi que l'explique un autre de tes biographes, Benoît Depardieu : « En entrant en religion, en devenant pasteur-prédicateur, le jeune James se tournait vers un autre père, Dieu le Père, espérant ainsi, non seulement échapper à David Baldwin, son beau-père, mais aussi prendre sa place en le défiant et en le surpassant dans son propre domaine. Ce désir de rivaliser avec le père et de l'emporter sur lui relève, à l'évidence, d'une banale configuration œdipienne[9]. »

David Baldwin n'imagine pas son existence sans son activité de prédicateur. D'autant qu'il a chaque jour sous les yeux les stigmates de ce qu'il considère comme l'injustice suprême : sa propre mère, Barbara Ann Baldwin, qui vit avec vous, est une ancienne esclave. N'importe quel Noir américain est rattaché à l'histoire de l'esclavage. Sauf que Barbara Ann Baldwin est là, et l'histoire se lit non pas dans les manuels, mais dans les yeux baissés de la vieille femme.

Dans sa foi zélée, David Baldwin implique ainsi la famille entière. Il a une conception ferme des préceptes bibliques. Est-ce cette rigidité qui le convainc d'avoir une famille nombreuse, dans la mesure où la Bible prône la fécondité et la multiplication à l'infini de notre espèce ?

De près ou de loin, c'est la relation avec cet homme qui conditionnera aussi ta vision de la société américaine dans ses rapports interraciaux. Il y a comme une urgence à comprendre ce qui nourrit sa haine de l'Autre. Au fond, si tu voues de l'admiration à cet être dur et droit, tu ne partages pas sa conception du monde, sa position quant à la place du Noir ici-bas, et surtout cette inimitié irréversible pour le Blanc. Le « meurtre » du père sera symbolisé par la « haine » que tu nourris à son égard. Mais s'aime-t-il lui-même, David Baldwin ? Le moins qu'on puisse dire, c'est qu'il n'est pas heureux. Jamais un être ne s'est détesté de la sorte, confieras-tu. Il en veut à sa propre couleur de peau. Il passera sa vie à s'en excuser dans tous ses actes et à croire que la religion est la seule voie de salut. Dans son esprit, rappelle Leeming, si le « démon blanc » ne le reconnaît pas ici-bas comme un être humain, Dieu le Tout-Puissant, dans Sa bonté, dans Son équité, réparera cette injustice. C'est ce qui explique son antipathie pour les agents du fisc, les propriétaires fonciers et tous les Blancs qui, à son avis, détiennent un certain pouvoir exercé de manière abusive contre les Noirs. Il juge cependant, avec une assurance tirée de sa lecture quotidienne du Livre saint, que cette puissance du monde blanc est éphémère, que Dieu viendra un jour remettre les pendules à l'heure. Alors, les croyants, les vrais, reprendront le dessus sur les mécréants.

Cette conception manichéenne le voue à la méfiance absolue. Le monde étant corrompu depuis toujours, il ne peut y avoir de coopéra- tion entre le Blanc et le Noir – celui-ci perdrait toujours à ce jeu de dupes. Du coup, les rares Blancs qui franchissent le seuil de la maison sont des assistantes sociales ou des collecteurs de créances. Ces fonctionnaires publics ne sont pas à l'abri de l'ire du maître des lieux, et c'est ta mère qui s'empresse de les recevoir. David Baldwin, lui, crie à la « violation de domicile », et vous craignez tous que son orgueil le conduise à commettre l'irréparable.

*
* *

Dans ton enfance, tu as maintes occasions de voir à quel point ton père se méfie du Blanc quel qu'il soit, quand bien même ce dernier nourrirait les meilleures intentions du monde. Pour David Baldwin, ce n'est pas uniquement le Blanc qui est mauvais : tous les Blancs le sont, sans exception.

Tu racontes comment une institutrice blanche dut affronter ce père soupçonneux lorsqu'elle eut l'idée de t'emmener au théâtre. Tu as neuf ou dix ans, et tu viens d'écrire une pièce que l'enseignante, dévouée et admirative, a déjà mise en scène. Elle estime que, pour compléter ta culture dramaturgique, tu dois vivre le théâtre, regarder les acteurs jouer, ressentir l'émotion de la salle. Or, à la maison, le théâtre comme le cinéma et les livres, synonymes de la perversion et de l'emprise du « démon blanc », sont prohibés. De même que cette « musique de nègres vendus » qu'est le jazz et qui fascine des hommes de couleur pris dans les filets du démon blanc. David Baldwin prend cette invitation au théâtre comme un affront, une remise en question de son autorité, l'intrusion d'une force maléfique dans un foyer de Dieu. N'a-t-il pas l'habitude de répéter, citant la Bible : « Quant à ma maison et moi, nous servirons le Seigneur » ? Peu importe alors qu'il soit incapable de subvenir aux besoins de sa famille, que ses fils en soient réduits à exercer cette activité qui colle à la peau des jeunes Noirs de l'époque et dont les campagnes publicitaires perpétuent l'image « pathétique » : cireurs de chaussures. Une image aussi émouvante que celle d'un « petit Noir faisant des claquettes sur le trottoir au rythme des pièces qu'on veut bien lui jeter [10] ». Et David Baldwin ne reproche pas non plus à son épouse de travailler comme domestique chez les Blancs. Si l'argent n'a pas d'odeur, il faut ajouter à présent qu'il n'a pas de couleur...

Mais qu'une femme blanche propose à l'un des fils de David Baldwin d'aller au théâtre, cela suffit pour soulever son indignation. Il suspecte aussitôt l'intérêt de cette institutrice pour son élève, persuadé que derrière sa motivation et son zèle se dissimulent des enjeux diaboliques : le Blanc est toujours enclin à s'en prendre à la race noire. C'est donc contre le gré de ton père que l'enseignante te fait éprouver pour la première fois l'émotion d'une représentation théâtrale.

David Baldwin aurait-il eu la même réaction si l'institutrice avait été une femme de couleur ? Certainement non, et tu rapporteras alors ces paroles qui ne t'ont plus quitté : « ... David Baldwin m'avertit de ce que mes amis blancs au collège n'étaient pas vraiment mes amis et me dit que je découvrirais, en vieillissant, que les Blancs sont prêts à tout pour empêcher un Noir de sortir du rang. Certains d'entre eux [...] pouvaient se montrer gentils, mais il ne fallait faire confiance à aucun car bien peu en étaient dignes. Je ne partageais pas ses sentiments et j'étais persuadé, dans ma candeur naïve, que je ne les partagerais jamais[11]. »

*

*   *

David Baldwin est noir, il ignore cependant qu'il est beau, soulignes-tu. Tu ajoutes aussitôt qu'il est mort avec cette terrible conviction de sa laideur. Certainement gagné par sa frustration, il aligne d'habitude les plaisanteries de mauvais goût au sujet de ta « laideur », de tes « gros yeux », au point d'en conclure que tu es l'enfant le plus disgracieux qu'il ait vu dans sa vie. Tu as été longtemps affecté par cette idée de laideur. À cet âge, on finit par accepter ce que l'on dit de vous, surtout lorsqu'il s'agit d'adultes. Jusqu'à ce qu'une situation contraire vienne enfin rétablir les choses, même de façon superficielle.

Tu te mires, tu considères ces yeux à fleur de tête que tu tiens d'Emma Berdis Jones, et tu te demandes si ton père n'a pas raison. À quoi peuvent en effet servir ces gros yeux ? Pourquoi sont-ils aussi exorbités ? La nature a-t-elle réellement été ingrate à ton égard, ou t'a-t-elle distingué ? Le désespoir te saisit. Combien de fois n'as-tu pas raconté l'anecdote qui t'a fait découvrir qu'il y a toujours plus « laid » que soi ici-bas ? En effet, encore tout enfant, tu aperçois dans la rue, depuis la fenêtre de votre appartement, une femme aux yeux plus proéminents que les tiens, avec, de surcroît, comme si la nature s'était acharnée sur elle, des lèvres démesurées. Tu en déduis qu'elle est plus laide que toi. Tu cours le dire à ta mère afin de la consoler, de lui prouver que vous n'avez plus de raisons de vous laisser ronger par ce détail physique, et que l'être humain se juge à sa grandeur d'âme…

En fait, lorsque David Baldwin insiste de la sorte sur ta prétendue laideur, lorsqu'il en fait l'objet de ses railleries régulières, il touche ton point le plus faible, et tu en tires une conclusion lourde de conséquences pour le « bâtard » que tu es : par son attitude, ton beau-père s'attaque indirectement à ton père biologique[12]… Et cela revient à te nier, toi, à reprocher à ce personnage inconnu, ton père biologique, d'avoir approché Emma, de t'avoir transmis sa disgrâce physique, impossible à gommer, remarquable à la première rencontre. Désormais, quand tu poses tes gros yeux sur lui, tu imagines un être pitoyable, très vieux, une statuette immobile…

Malgré ce caractère détestable qui laisse entendre que David Baldwin n'est qu'un être froid à l'égard des siens – au point que tu le qualifies de « monstre à la maison, un monstre qui peut-être avait sauvé des âmes, mais avait perdu celles de ses enfants, chacune d'elles [13] » –, un monstre éprouvant une aversion viscérale pour la race blanche, tu te souviens aussi de moments où l'homme t'apparut enfin comme un père attachant, humain, sensible, attentionné et qui se débrouillait tant bien que mal pour sa famille. Tu te rappelles ainsi l'époque où ta mère te portait sur ses épaules tandis que David Baldwin, marchant à vos côtés, te souriait. Tu n'oublies pas non plus cette image du vieil homme t'offrant des bonbons.

Mais très vite remonte à la surface la dure réalité d'un père qui a décrété que tu n'es qu'un bon à rien, qui n'hésite pas à te battre comme plâtre quand tu perds la pièce de monnaie remise pour acheter le kérosène du réchaud familial. Est-ce ce caractère odieux qui te prémunit contre les épreuves de la vie ? : «Mon père était trop vieux pour avoir autant d'enfants... Le monde changeait très vite, et il avait du mal à s'y adapter... Ayant neuf enfants, il ne pouvait les nourrir. Sa douleur était si profonde qu'elle le poussa au silence, à la rigidité, parfois à nous frapper et, finalement, à l'asile psychiatrique... Sans lui, je serais mort car, connaître sa vie, sa peine, m'apprit comment me battre [14].»

L'homme impose la distance, il a du mal à entretenir des rapports confiants avec ses amis qui, tous, s'éloignent peu à peu de lui. S'il est malade depuis des années, le mal dont il souffre est loin d'être physique : tout se passe dans sa tête, dans «son esprit», au point que vous ne pouvez plus saisir la douleur intérieure d'un être qui verse dans la paranoïa la plus extrême, reste des heures entières devant la fenêtre à ânonner des prières, à fredonner des chants religieux. C'est dans ce monde lointain, céleste, qu'il se sent le mieux. Dès lors, son aversion éclate au grand jour. À ses neuf rejetons, il reproche, pourrait-on dire, d'être venus au monde, ce monde exécrable qui ne l'a pas reconnu et dont il attend que le Seigneur le fasse disparaître. La paranoïa atteint son comble lorsqu'il refuse de manger à la maison, convaincu que sa propre famille nourrit l'intention de l'empoisonner...

*

* *

Tu dois désormais suppléer un père « incapable », rude, austère et méfiant vis-à-vis des siens. Tu aides ta mère dans sa lourde tâche de femme au foyer. Sans te demander si ce rôle incomberait à Samuel, le fils du précédent mariage de David Baldwin plus âgé que toi de plusieurs années – tu es d'ailleurs fasciné par son courage, celui qu'il a montré, par exemple, lorsqu'il t'a sauvé de la noyade... La scène en elle-même t'aurait-elle valu le prénom de « Moïse » ? Celui qui écrivit l'histoire d'Israël et conduirait son peuple hors d'Égypte afin de le délivrer de l'esclavage. Peut-être, toi aussi, as-tu une mission sur terre, et cette mission passe par la connaissance de Dieu – puis l'émancipation par l'écriture.

Le sauvetage par Samuel te marque, et tu le reprends dans *Chassés de la lumière*. La silhouette de ce demi-frère traversait déjà *La Conversion*, et on la retrouve dans *L'homme qui meurt,* puis dans *Just Above my Head*... La figure du frère est magnifiée, son amour quasi christique, ses bras protecteurs, et ses bras te retiennent à la vie alors que les eaux tentent de t'attirer dans leur ventre...

Au fond, la vie n'est-elle pas un grand océan dans lequel risque de se noyer la maison entière si le père s'enferme dans son détachement ? Puisque tu endosses presque le rôle de chef de famille, tu deviens celui vers qui les autres enfants se tournent. Tu es un sauveur à ta manière. L'image de cette période est reprise par la plupart de tes biographes : tu as un livre dans une main, et de l'autre tu t'occupes d'un de tes frères ou d'une de tes sœurs.

David Baldwin sait qu'il ne peut plus rien. Qu'il ne peut freiner ton élan d'indépendance, ton regard posé sur une page, ta fréquentation régulière de la bibliothèque publique du quartier, ton éloignement progressif de la religion. C'est un échec pour lui car, jusque-là, à son plus grand bonheur, tu appartenais encore au Mouvement de jeunes prédicateurs et avais prêché à maintes reprises. Tu prêchais depuis l'âge de quatorze ans dans les églises baptistes. C'était la volonté de David Baldwin. On retrouve ce vœu paternel dans l'incipit de *La Conversion* : « Tout le monde avait toujours dit que John deviendrait prédicateur quand il serait grand, comme son père. Et les gens le lui avaient tellement répété que John, sans jamais y avoir réfléchi, en était venu à le croire. »

À quatorze ans, tu es considéré comme un bon prêcheur, très inspiré. Tu prends conscience de la force de la parole. Du haut de ta chaire, tu tiens la foi de toute une population entre tes lèvres. Ces femmes, ces hommes et ces enfants noirs sont convaincus que les mots qui sortent de ta bouche proviennent du Tout-Puissant. Tu connais la Bible par cœur, la rhétorique et la poésie que tu insuffles avec enthousiasme à tes sermons exaltent encore plus l'audience acquise à ton prêche[15].

Jusqu'alors, l'église a été ton refuge. C'est, penses-tu, le seul lieu qui pourrait te préserver de la méchanceté de la rue. Tu te rappelles qu'à Harlem, des policiers t'arrêtent, te palpent, lancent des propos osés sur tes origines, sur la sexualité des Noirs, et t'abandonnent inanimé dans un terrain vague. C'est une violence qui n'épargne pas l'âge, puisqu'à treize ans déjà, lorsque tu t'orientes du côté de la Vᵉ Avenue pour te rendre à la bibliothèque publique de la

42ᵉ Rue, un policier lance : «Pourquoi donc que vous autres nègres vous ne restez pas chez vous à Harlem [16] ? »

Les jeunes de ton âge ont donc tort, d'après toi, de ne pas choisir comme abri la maison du Seigneur. Parmi ces jeunes perdus, livrés à la débauche, tu en croises certains au quotidien. C'est surtout la métamorphose des filles et des garçons que tu fréquentes dans la chorale de l'église qui te heurte. Ils grandissent, leurs traits changent. Les filles «dégagent une chaleur», leur poitrine gonfle tandis que leurs hanches s'arrondissent. Les garçons boivent, fument et découvrent le plaisir de la chair. Tu t'imagines ce que tu seras, ce que tu deviendras lorsque ton corps aura aussi changé, lorsque ta voix aura des intonations plus basses. L'angoisse te saisit, et, pour la prévenir, faut-il se ranger «parmi les êtres les plus dépravés de ce monde [17] » ? La grande appréhension qui te traverse est celle de tous les adolescents noirs de ton quartier, finir comme un chien errant et ne pas s'élever à un meilleur rang social que celui de son père : «L'école commença donc à apparaître sous les couleurs d'un jeu auquel personne ne pouvait gagner, et les garçons renoncèrent à y venir et cherchèrent du travail [18]. »

Or il aura suffi de trois années pour qu'on ne t'aperçoive plus dans les églises. Ton esprit est ailleurs. Tu n'as plus qu'une seule idée en tête : « Je veux être un honnête homme et un bon écrivain [19]. »

*

* *

Les raisons de ta rupture avec l'Église ? Tu les détailles dans *La prochaine fois, le feu*. Tu viens de comprendre que la religion telle qu'elle est présentée ne peut permettre d'atteindre l'amour du prochain, tout au moins pour les gens de couleur. La Bible sème un grand doute dans ton esprit : « Il me semblait que les hommes devraient aimer le Seigneur de façon désintéressée et non par peur d'aller en enfer. Je dus, à mon corps défendant, me rendre compte que des hommes avaient écrit puis traduit la Bible elle-même dans des langues que je ne connaissais pas et, déjà, les problèmes d'expression prenaient pour moi une terrible importance [20]. »

La déception est immense. Tu as vu comment fonctionnent les églises, qu'elles soient tenues par des Blancs ou par des Noirs. Tu as constaté que certains ministres du culte s'enrichissent au détriment des fidèles dont on exige toujours plus : plus de foi, plus de bénévolat, plus d'aumône. Aux fidèles, on soutire tout, jusqu'à la « dernière piécette », écriras-tu. Tu sais que lorsque tu prêches, bible en main, la sueur dégoulinant du front, tu n'es plus pénétré par cette force qui te soulevait naguère afin de persuader tous les malheureux d'espérer un monde meilleur, un Paradis où leur place est réservée, voire numérotée à la droite du Seigneur. Alors, le regard que tu poses sur ces pauvres ouailles attentives mêle commisération et culpabilité. Commisération pour leur vie quotidienne qui se désagrège. Culpabilité d'être du côté de ceux qui détournent leur regard de cette réalité. Tu as l'impression de les conduire dans une fausse direction : « C'est pourquoi, lorsque je me trouvais face à face avec des fidèles, je n'avais maintenant pas trop de toutes mes forces pour ne pas bégayer, ne pas jurer, ne pas leur dire de jeter leurs bibles, de se relever, de rentrer chez eux et d'organiser, par exemple, une grève des loyers... »[21]

Combien de temps tiendras-tu encore ?

À dix-sept ans, ta décision est prise. De manière irrévocable, puisque tu éprouves de plus en plus de griefs contre ce Seigneur que tu sers depuis trois ans. Tu te rends compte que, au lieu de te procurer la quiétude espérée, la religion te jette dans une solitude profonde. Au besoin, tu n'es plus qu'un pantin, une espèce de messager qui va à l'encontre des intérêts des siens. Ils ont faim, on leur promet l'abondance dans l'autre monde. Ils n'ont pas de toit, on leur assure que Dieu pourvoira à leurs besoins.

Devant un tel constat, tes critiques contre le Livre saint sont sans appel. Ce livre a contribué à estampiller sur la peau du Noir le sceau d'une malédiction éternelle : « J'étais conscient du fait que la Bible avait été écrite par des Blancs. Je savais que selon de nombreux Blancs, j'étais un descendant de Cham qui avait été maudit et que j'étais donc prédestiné à être esclave [22]. »

*
* *

Ta « haine » à l'égard de David Baldwin se mue en mansuétude le jour où tu le vois mourant dans son lit d'hôpital. C'est un homme usé, presque méconnaissable. Faut-il continuer à lui en vouloir ? Avec un peu de distance, tu déclares : « J'imagine que si les gens s'accrochent à leurs haines avec tant d'obstination, c'est en partie parce qu'ils devinent que lorsque la haine disparaît, on n'a plus affaire qu'à la souffrance[23]. »

Lors de sa disparition, le 29 juillet 1943, tu prends conscience enfin de toute l'affection que tu éprouvais pour cet être. Comme pour chercher des raisons de l'aimer, tu feuillettes l'album de famille. Ton beau-père tiré à quatre épingles pour aller prêcher le dimanche. Image sublime, penses-tu. Et tu imagines David Baldwin « aisément debout parmi ses guerriers, nu, le visage peint et couvert d'amulettes[24] ». Il y a ce front fermé, ces traits graves. C'est son aigreur que tu ne t'expliques pas, cette aigreur qu'il va emporter dans la tombe, « parce que, au fond de son cœur, il croyait vraiment ce que les Blancs disaient de lui[25] ».

Au moment de son hospitalisation, on découvre qu'il est gravement atteint de la tuberculose. Mais toi tu sais que l'anémie ne s'appelle pas tuberculose, qu'elle est incurable, invisible, loin de ce que les médecins ont diagnostiqué du haut de leur chaire. Ce qui emporte David Baldwin, c'est « la maladie de l'esprit », celle qui le ronge de l'intérieur depuis des années : « … la maladie de l'esprit aida le mal du corps à le détruire. C'est qu'en effet les docteurs ne purent

36

pas non plus le forcer à manger et, bien qu'il fût alimenté par perfusion, on vit dès le premier jour qu'il n'y avait plus d'espoir [26]. »

2.

L'écolier de Harlem et la Bible

Je fixe toujours ta photo.

Je souffle dessus pour ôter la poussière, mais en réalité dans le dessein de réveiller les souvenirs qu'elle renferme. Et j'aperçois un petit garçon noir, fragile, qui traverse la rue pour se rendre à l'école publique tandis que le monde fait face à la crise économique de 1929. Wall Street n'est pas loin de là. L'histoire te suivra toujours à la trace.

Dans cet établissement, une personne te marque : Gertrude E. Ayer, première femme de couleur directrice d'une école publique à New York. C'est elle qui te tend la main, te suit, te guide. Gertrude est présente dès *La Conversion*, encourageant le jeune John Grimes dans ses études. Mais une autre femme, blanche cette fois, semble t'avoir aidé, et vis-à-vis de laquelle tu fais preuve d'une ingratitude pour le moins surprenante, ainsi que semble te le reprocher Benoît Depardieu : « Étrangement, Orilla Miller, jeune institutrice blanche, l'autre figure d'envergure de ses années d'école primaire, resta éternellement absente de sa fiction. Il y fit allusion dans certains de ses essais mais elle n'apparut jamais dans ses romans ou nouvelles sous quelque forme que ce soit... Elle prit en charge l'éducation littéraire, théâtrale, cinématographique du jeune James Baldwin et alla jusqu'à rencontrer la famille Baldwin. [...] Orilla Miller joua un rôle particulièrement important pour James dans sa façon d'appréhender les Blancs et leur monde[27]. »

C'est Orilla Miller qui mettra en scène ta première pièce de théâtre. C'est elle qui subira les foudres de ton père lorsqu'elle voudra t'emmener au théâtre. Mais son opiniâtreté aura raison des réticences de David Baldwin. Après cette première victoire, elle ne s'arrête pas là. Vous visitez les musées, allez au cinéma, partagez votre passion pour Charles Dickens. Orilla Miller devient un peu un membre de ta famille, et tu es accueilli dans la sienne où tu discutes du contexte politique avec son mari, Evan Winfield, ce qui t'ouvre encore d'autres horizons dans la compréhension de la société américaine. Tu confieras plus tard que tu te rendis compte que

« les Blancs ne se comportaient pas comme ils se comportaient parce qu'ils étaient blancs, mais pour d'autres raisons[28] ». Ces fréquentations qui, d'après Leeming, ont probablement lieu à l'insu de David Baldwin, corrigent ainsi ta vision du monde des Blancs. Cette vision sera désormais fondée sur l'individu pris dans sa singularité, et non sur l'accusation systématique de tout un groupe. Tu refuses le syllogisme facile qui serait : un Blanc tue un Noir, Paul est un Blanc, donc Paul tue aussi les Noirs.

Tous les Blancs sont-ils mauvais ? Les Black Muslims seraient tentés de dire oui.

Les Blancs et les Noirs peuvent-ils se marier ? Non, diraient encore les Black Muslims.

Et lorsque, bien plus tard, devenu adulte, tu seras invité par le chef de la « Nation de l'Islam » d'alors, Elijah Muhammad, celui-ci te prédit l'« holocauste » qui guette fatalement le monde blanc. Ce discours des musulmans noirs américains te rappelera alors un souvenir amer. Tu ne peux effacer la stature imposante de David Baldwin. Et tu ressentiras alors, plus que jamais, ta solidarité avec l'« autre camp » promis à la géhenne par Elijah Muhammad : « J'avais l'impression d'être revenu dans la maison de mon père — et en un sens j'y étais revenu —, et je

41

dis à Elijah que je ne voyais, moi, aucun incon-
vénient à ce que Noirs et Blancs se marient entre
eux et que j'avais de nombreux amis blancs. Il
ne me resterait, si les choses en venaient là, qu'à
périr avec eux [29]... »

Orilla Miller vient à la maison parfois avec
sa sœur, Henrietta Miller. Elle découvre votre
indigence, le labeur quotidien et épuisant d'Emma
Berdis Jones qui se débat comme une diablesse
à la cuisine ou dans un coin où elle lave le linge
familial à mains nues. Orilla est touchée, apporte
des vêtements pour les enfants. Ton admiration est
totale : « Je l'ai aimée, [...] d'un amour d'enfant.
C'est en partie parce qu'elle arriva très tôt dans
ma terrible existence que je me suis toujours gardé
de vouer de la haine aux Blancs [30]. »
Cette femme, morte en 1991, est restée proche
de toi jusqu'à la fin de ta vie.

*
* *

Pendant l'école secondaire, deux autres
rencontres décisives surviennent. Elles sont
capitales dans ta formation d'écrivain. En effet,
en 1935, alors que tu entres au collège Frederick

Douglass, tu es d'abord séduit par Countee Cullen. C'est l'un des poètes les plus influents de la *Harlem Renaissance*. Dans cette institution, il enseigne le français et intervient également au département d'anglais, où tu es remarqué par un autre professeur, Herman W. Porter. Celui-ci est un membre du comité de rédaction de la revue littéraire de l'établissement, *Douglass Pilot*. Il a lu tes rédactions, vante tes mérites, célèbre la finesse de l'écriture d'un gamin d'à peine treize ans. Il te propose de collaborer à la revue, dont tu deviens bientôt l'un des principaux rédacteurs.

À cette époque, tu lis et apprécies deux écrivains. En dehors de Charles Dickens, il y a Harriet Beecher Stowe, auteur de *La Case de l'oncle Tom*. Cette femme de lettres sera l'une de tes principales cibles au moment où tu définiras ta conception de la littérature dans un article, « Une opposition complice », et où tu formuleras tes premières « attaques » contre ton mentor Richard Wright.

*

* *

Lorsque tu entres au lycée DeWitt Clinton High School, le changement est radical : cet établissement public situé dans le Bronx bénéficie d'un grand prestige. Pour t'y rendre, il te faut traverser tout Harlem, et donc prendre le métro. Qu'à cela ne tienne, ces déplacements t'éloignent un moment du confinement dans le ghetto. Au lycée, tu rencontres d'autres adolescents qui partagent ta passion de l'écriture. Comme dans ton ancien établissement, on y édite une revue : *The Magpie.* Tu y publies très vite des articles aux côtés de plusieurs amis, Emile Capouya, Sol Stein et Richard Avedon.

Ton ancien professeur, Countee Cullen, est ravi, d'autant que tu lui proposes une interview dans les colonnes de cette revue connue pour avoir révélé plusieurs jeunes auteurs américains. C'est Emile Capouya, né de parents immigrés espagnols, qui te fait rencontrer celui qui deviendra l'un de tes proches : le peintre Beauford Delaney. Celui-ci réside alors à Greenwich Village, le lieu par excellence de la culture artistique et de la vie de bohème, dans l'ouest de Manhattan. Le lieu est réputé comme étant le bastion d'une *autre culture*, celle qui s'oppose aux conventions. Le Oscar Wilde Bookshop, par exemple, l'une des plus anciennes librairies gay, sera créé dès 1967 tandis qu'on assiste aux débuts du fameux groupe de disco Village People. Par son esprit de contestation, Greenwich Village devient le symbole de la liberté sexuelle, notamment de la culture gay, à partir des émeutes qui opposèrent les homosexuels, les transsexuels et les lesbiennes aux forces de police de New York lors d'une descente dans un bar gay, le Stonewall Inn, le 28 juin 1969. Beaucoup font remonter à cette date les débuts des luttes pour l'émancipation des homosexuels.

Et lorsque, excédé par l'opposition avec ton père, tu quittes le domicile familial à dix-sept ans — c'est-à-dire peu de temps après la rupture avec l'Église —, c'est à Greenwich Village que tu t'installes.

*

* *

Entre-temps, tu écris de plus en plus. Tu es sûr que ton heure est arrivée et qu'il va falloir franchir le Rubicon. Il faut publier pour être reconnu comme auteur. Tes textes de fiction sont malheureusement tous rejetés par les éditeurs. Tu ne te décourages pas. En attendant, tu décides de lire, de te consacrer à la critique littéraire. Quelques années plus tard, tu collabores cependant à un livre avec un photographe sur les façades des églises de Harlem. L'ouvrage ne trouve pas non plus d'éditeur même si tu reçois une bourse de la fondation Rosenwald. « C'est alors que j'écrivis mes premiers articles sur des livres dont la plupart traitaient du problème noir. La couleur de ma peau faisait automatiquement de moi un expert en la matière. J'écrivis ensuite un texte pour un album en collaboration avec le photographe Theodore Pelatowski sur les façades des églises de Harlem. Ce livre connut exactement le même sort que le premier : il reçut un prix mais ne se vendit pas [31]... »

Greenwich Village est le lieu du bouillonnement culturel afro-américain, pour ces jeunes qui espèrent changer le monde grâce à leurs rêves. Là-bas, la vie ressemble à leur destin, incertaine, errante, et les projets ne manquent pas. C'est une communauté fondée sur l'entraide. Grâce à Delaney, tu développes ton sens artistique, ta passion pour la musique, surtout pour le blues et le jazz. Même si tu l'envisages depuis quelque temps déjà – tu as alors dix-sept ans –, c'est Emile Capouya qui te convainc d'abandonner définitivement tes activités de prêcheur.

Diplômé de l'enseignement secondaire, ce n'est pas pour autant que ta voie est désormais tracée. L'art exige des sacrifices auxquels tu vas te plier. Tu fais des petits boulots à Greenwich Village jusqu'à la mort de ton père. Le destin a-t-il voulu que ce 29 juillet 1943, jour de la mort de David Baldwin, naisse ta sœur Paula ?

Au restaurant Calypso où tu travailles comme serveur, tu vois passer du monde. C'est dans cet établissement que viennent dîner la plupart des écrivains et artistes du moment. Ton homosexualité n'est plus un secret pour personne, tu vas jusqu'à la dévoiler à ton protecteur Emile Capouya. C'est aussi à cette période que tu commences la rédaction de ce qui sera ton premier roman, *La Conversion,* et que tu croises pour la première fois le «mentor» Richard Wright auquel tu vas soumettre quelques feuillets du manuscrit. Tu lis tout ce qui te tombe sous la main. Tu dévores la littérature européenne, tu es séduit par Balzac, James, Flaubert, Dostoïevski, entre autres…

L'année 1946 est plus que sombre, avec le suicide de ton ami Eugene Worth, à qui tu n'as pas eu l'occasion d'avouer ton attirance pour lui. Ce drame t'affecte, c'est une des raisons qui précipitent ton départ hors du pays.

*

* *

En 1948, âgé de vingt-quatre ans, tu songes à abandonner tout ce qui t'est cher, à quitter ton Amérique natale, parce que, selon toi, « il le fallait ». En cela, tu veux suivre la route tracée par les artistes et les écrivains noirs américains qui, excédés par les meurtrissures d'une ségrégation raciale érigée en système politique, ont « exporté » leur mouvement culturel, la *Harlem Renaissance*, à Paris afin de retrouver dans la capitale française et « dans l'excitation des cabarets ce qui les séduisait, jadis, à Harlem, le pouls vibrant d'un sang culturel neuf[32] ». La vague de ces migrants noirs est impressionnante et compte des poètes que tu côtoies, des romanciers que tu admires comme William Du Bois ou Langston Hughes, mais aussi des vedettes du music-hall dont la plus connue est Joséphine Baker. La France devrait, en principe, te permettre d'échapper au statut avilissant du Noir américain. Pour autant, tu ne renies pas ton pays : « J'aime l'Amérique plus que tout autre pays au monde et, pour cette raison précise, je revendique le droit de la critiquer constamment[33]... »

De même, plus tard, en visite aux États-Unis après plusieurs années d'absence, interrogé par la presse au sujet de ton pays d'adoption, tu ne fais aucune concession : tu aurais pu aller vivre quelque part en Afrique, en Asie, dans un pays du tiers-monde, dis-tu. Et on te verra plus tard en Turquie, en Suisse... Mais tu as tes amis en France, même si ce pays, selon toi, est un lieu « hermétique », caractérisé souvent par l'arrogance et la suffisance de ses intellectuels et de sa haute bourgeoisie. Pourtant, tu aimes plus que jamais la France, et tu ne veux surtout pas répudier une ancienne maîtresse, celle qui t'a tendu les bras, celle qui t'a ouvert ses portes, celle qui ne t'a pas jugé selon ton apparence physique[34].

*
* *

On polémiquera longtemps sur les vraies raisons de ton « exil » en France. Or rien n'est plus désespérant que le confinement du créateur, la sensation que le monde qui s'effondre à ses pieds finira par engloutir ses rêves. En ces années 40 donc, dans ta terre natale, les rêves des Afro-Américains sont la cible d'une machine politique infernale. Vivre dans ton pays n'est pas « un grand pique-nique pour les Noirs ». Le premier arbre peut servir de potence sans autre forme de procès, et le président Roosevelt rencontre des difficultés avec le Congrès pour faire passer les lois contre les lynchages de Noirs. La ségrégation, criarde, devenue banale, règne dans les restaurants, dans les écoles et dans la plupart des endroits publics. Les illustres confrères qui t'ont précédé en France soulignent combien ils se sentent désormais des écrivains à part entière – et non entièrement à part. En France, on ne les considère pas comme des Noirs, ils sont avant tout des artistes, des écrivains qui captent l'attention du milieu culturel de ce pays d'adoption. Finie l'humiliation subie dans leur territoire, s'offre à eux la possibilité de créer dans la tranquillité, loin de la discrimination raciale.

Tu admettras plus tard que tu souhaitais vivre dans un endroit où tu pourrais écrire sans avoir l'impression que quelqu'un te serrait à la gorge, et la France devint ainsi le lieu de ton éclosion, le lieu où tu commenças véritablement à te battre en utilisant les armes qui étaient à ta disposition, celles que personne ne pouvait t'arracher : les mots[35]...

3.

Sur les traces du maître Wright

Tu arrives à Paris le 11 novembre 1948.

Tu vis dans de petits hôtels, d'abord rue du Dragon, puis du côté de la rue de Verneuil, non loin du boulevard Saint-Germain. Des logements souvent loués à des étudiants et dont les propriétaires doivent faire preuve d'indulgence à la fin du mois lorsqu'il s'agit d'encaisser les loyers.

Tu reprends très vite ton existence de bohème, comme à Greenwich Village. Tandis que la lecture d'Henry James te captive, le milieu de Saint-Germain t'ennuie. Tu préfères à cet univers celui des petites gens que tu croises dans les cafés, aussi bien des Maghrébins que des ressortissants d'Afrique noire avec qui tu discutes de leur condition. Mais, et c'est le sort des expatriés, tu dînes aussi chez des compatriotes, en général des

Blancs. À cette époque tu fais la connaissance de Saul Bellow, entre autres.

La quête de ta propre identité explique ces rencontres. Tu es pris au « piège » de la fréquentation régulière de tes compatriotes américains blancs. Si une telle situation t'aide à mieux « te connaître » au-delà de la barrière de la race, elle te coupe en revanche pendant un temps de la société française, que tu côtoies à peine – tu ne parles pas encore le français, ce qui ne favorise pas le contact. Rencontrer les autres Américains te dévoile une réalité bouleversante : l'Américain blanc est aussi perdu que toi, et, au cours de vos discussions, chacun évite d'aborder le nœud du problème de la société américaine – la question raciale. Il est plus conciliant d'évoquer la beauté de l'avenue des Champs-Élysées ou de la tour Eiffel...

Ton « mentor » Richard Wright se trouve déjà à Paris avec sa famille. À ton départ de New York, dans ton sac, tu as caché comme un talisman l'adresse de cet écrivain de renom. Au pays, il t'a toujours soutenu, voire aidé, pour que tu deviennes « un honnête homme et un bon écrivain ». Et c'est aussi, de loin – même si tu ne l'as jamais clairement avoué –, parce que Wright est dans la capitale française que tu es conforté dans l'idée de t'y rendre.

Dans le milieu littéraire des « exilés » noirs américains à Paris – milieu que Michel Fabre qualifiera de « rive noire » –, on sait déjà qu'un jeune auteur de Harlem arrive. On a entendu parler de lui grâce à quelques articles publiés dans divers revues et magazines. Certains l'ont côtoyé à Greenwich Village. D'autres vont découvrir enfin celui qui était alors « un jeune homme tendu, maigre de stature, avec des gestes de mains extravagants et une expression du visage qui pouvait tourner du tragique au comique[36] ».

Et puis ce milieu se rappelle les circonstances dans lesquelles tu as fait la connaissance de Richard Wright à New York, à la fin de l'année 1944. À cette époque, tu as vingt ans. Wright, à trente-six ans, est déjà célèbre grâce à ses romans, notamment *Un enfant du pays*. Il est le premier Noir américain à avoir publié un best-seller, et l'histoire qu'il narre dans ce roman, celle de Bigger Thomas, un homme de couleur qui assassine une femme riche et blanche amoureuse de lui, soulève un tollé, notamment parmi ses camarades du Parti communiste, lesquels lui reprochent d'avoir donné une image négative du Noir. Qu'à cela ne tienne, Wright a atteint son

objectif : exposer la réalité de la société américaine, exprimer ce que tu qualifieras plus tard de
« fureur » et de « haine » à travers le personnage
de Bigger Thomas, une provocation pour une
Amérique sourde aux revendications des Noirs.

Wright critique de manière frontale l'armée
américaine, qu'il condamne pour son racisme à
l'égard des Noirs. Il refuse de la servir pendant la
guerre parce que, souligne-t-il dans une corres-
pondance adressée à un de ses amis, « on nous
demande de mourir pour une liberté que nous
n'avons jamais eue ». Une des biographes de
Wright, Hazel Rowley, raconte comment, en
1947, l'écrivain, comme la plupart de ses confrères
de couleur, s'éloigne de l'Amérique. Wright, lui,
est encouragé par Jean-Paul Sartre, Simone de
Beauvoir, Claude Lévi-Strauss, et finit par s'établir dans la Ville Lumière avec sa femme – une
Américaine juive [37].

C'est peu de dire que tu voues une admiration
sans bornes au parcours de Wright. Tu as lu et
relu *Un enfant du pays (Native Son)*, au point de
t'en inspirer pour le titre de ton recueil d'essais,
Chronique d'un pays natal (Notes of Native Son).
Tu rêves de lui ressembler parce qu'il a surmonté
le fatalisme ambiant : « Je m'étais identifié à lui

bien longtemps avant notre rencontre : [...] sa réussite m'avait aidé à survivre. Il était noir, jeune, était sorti du cauchemar du Mississippi, des taudis de Chicago, et, en plus, il était un écrivain. Il démontrait alors que tout était possible – et il me le prouvait, me tendait une main contre tous ceux qui prétendaient que plus rien n'était possible[38]. »

Tu veux le rencontrer, l'aborder, apprendre auprès de cet aîné le sens de l'effort, de la rigueur et de l'exigence dans l'écriture. Et, pourquoi pas, aboutir au même succès.

En ce temps-là, tu frappes à la porte de sa résidence, à Brooklyn. L'écrivain t'accueille à bras ouverts, à ta profonde stupéfaction, toi qui t'attends à te trouver en face d'un auteur distant, emmuré dans son prestige. Tu es impressionné, intimidé. Il détend l'atmosphère. Alors que vous savourez du bourbon, tu annonces, dans l'euphorie de la conversation, que tu as écrit une cinquantaine ou une soixantaine de pages, un roman en cours intitulé *Dans la maison de mon père* – qui deviendra *La Conversion*. Tu ne mesures pas l'intérêt que tu viens de susciter chez le maître. Il t'encourage, manifeste cependant le désir de lire ces pages que tu n'as pas apportées avec toi. Existent-elles ou est-ce une affabulation ?

Leeming rapporte : « Après quelques jours d'écriture acharnée, Baldwin envoya enfin la soixantaine de pages à Brooklyn. Dans la semaine, Wright lut le manuscrit, réagit positivement et, par le truchement d'Edward Aswell, son éditeur chez Harper & Brothers, recommanda Baldwin pour la bourse Eugene F. Saxton Foundation Fellowship [39]... »

En 1945, tu obtiens cette bourse de cinq cents dollars afin d'achever ton texte. C'est un grand pas. Et puisque la dotation est administrée par la prestigieuse maison Harper, qui publie Wright, celui-ci parle de toi à son éditeur. Ton texte est discuté en comité de lecture. Il est jugé impubliable en l'état, et, finalement, rejeté à la fois par cet éditeur et par Double Day : « ... vers l'âge de vingt et un ans, j'obtins un prix de la fondation Saxton pour un roman déjà assez avancé. Un an plus tard, j'avais dépensé le montant du prix et, le roman s'étant révélé invendable, je devins serveur dans un restaurant de Greenwich Village [40]... »

C'est certes une lourde déception, mais tu ne renonces pas à égaler le maître. Et, au fond, te demandes-tu certainement, qu'est-ce qui explique le retentissement d'*Un enfant du pays* ? Est-ce le choc du meurtre d'une Blanche par un Noir qui l'a suscité ?

Tu commences donc l'écriture d'un nouveau texte, *Ignorant Armies*, qui lui aussi, comme le livre de Wright, met en scène une histoire de meurtre, avec, au cœur, la question de la race : Wayne Lonergan, un bisexuel, tue sa riche épouse pour des raisons liées à leur sexualité. Le texte ne tient pas debout, tu parles à la place de tes personnages, même si le récit tire sa force et sa véracité de ta vie à Greenwich Village, une vie marquée par le « trouble » d'une sexualité de plus en plus tournée vers les hommes. Et puis ce texte contient deux romans à la fois ! Preuve en est : de ce « brouillon » sortiront en effet, plus tard, deux de tes œuvres de fiction les plus connues : *La Chambre de Giovanni* et *Un autre pays*, deux romans dans lesquels la sexualité, voire l'homosexualité, sont vues sous leur aspect le plus tragique[41].

Ce n'est pas tant la volonté de mettre tes pas dans ceux du maître qui t'incite à l'écriture du « navet » *Ignorant Armies*. Ta propre existence, avant l'arrivée en France, est une succession de calamités. James Campbell rapporte : « Son père, frappé de folie, était mort dans un asile psychiatrique. Baldwin avait perdu la foi chrétienne qui avait fini par l'entraîner vers une crise profonde, et avait, en même temps, pourrait-on dire, accepté l'éveil de son homosexualité – très mal vue à Harlem, où il vivait, encore moins à l'église où il professait comme jeune ministre du culte[42]. »

*

* *

À New York, tu continues toutefois à rencontrer le maître. Celui-ci s'envole pour Paris en 1946.

La France va être le théâtre de votre « confrontation » : Wright ignore encore que l'élève qu'il a vu frapper à sa porte a grandi et que, pour exister, il va lui falloir défier son modèle. Et tout se résume peut-être à ces mots d'une lucidité terrible : « Son œuvre était un obstacle sur ma route ; c'était le sphinx dont il me fallait résoudre les énigmes pour pouvoir devenir moi-même. [...] Richard fut blessé parce que je ne lui avais attribué aucun sentiment humain, aucun échec humain. Et c'était bien vrai ; pour moi, il n'avait jamais été un être humain, il avait été une idole. Et les idoles sont créées pour être détruites[43]. »

4.

La destruction des idoles :
de « La Case de l'oncle Tom »
à « Un enfant du pays »

C'est en 1948 que tes amis George Salamos et Hasa Benveniste, également installés en France, s'apprêtent à lancer la revue *Zero* et te sollicitent pour un article. Les responsables de *Zero* sont loin de se douter que le texte que tu remets va sonner l'ère des « hostilités » entre Wright et toi. Le titre en lui-même est tout un programme : « Everybody's Protest Novel » (traduit en français par « Une opposition complice [44] »). L'article est parallèlement publié dans la *Partisan Review*.

Le texte commence par une charge contre le genre romanesque de l'époque, qui, selon toi, privilégie la morale à l'art. Dans le « roman d'opposition », comme tu l'appelles, l'auteur s'écrie, s'indigne contre ce qui est supposé être une abomination : l'esclavage, le racisme, et toutes les injustices en général. Tu penses que cette indignation n'est pas sincère. Elle n'est qu'un étalage d'émotions. Or, c'est connu, on ne fait pas de la littérature avec de bons sentiments. Un roman très célèbre va alors te servir de cible principale : *La Case de l'oncle Tom*. C'est une œuvre que tu as lue plusieurs fois dans ton enfance. Elle t'a ému, elle t'a touché.

Paru en 1851, le roman s'empare de l'Amérique esclavagiste. Quelque part dans le Kentucky, un certain Mr Selby, planteur prospère, s'enorgueillit de traiter ses esclaves avec philanthropie. Hélas, accablé par les dettes, le couple Selby doit se résigner à vendre deux de ses esclaves : Tom, le « bon » vieil esclave et un enfant, Henri. Lorsqu'elle rencontre l'oncle Tom, la jeune Evangeline Saint-Clare, touchée par la bonté de l'homme de couleur, supplie son père de l'acheter. Est-ce la fin des pérégrinations de cet esclave au cœur tendre ? Las, il devra endurer une autre séparation. Le roman retrace ainsi cette odyssée mêlant émotions, sensibilité et surtout bonne conscience.

Tu ne lis plus ce livre du même œil que dans ton enfance. C'est désormais « un très mauvais roman » auquel tu reproches « la malhonnêteté », « le sentimentalisme », « l'incapacité de ressentir » [45]. *La Case de l'oncle Tom*, fleuron du « roman d'opposition » à tes yeux, a pourtant inspiré d'autres écrivains de renom, notamment plusieurs de tes confrères afro-américains, comme l'affirme Amanda Claybaugh : « ... beaucoup d'auteurs afro-américains de premier plan du XXe siècle ont été tentés, à un certain point de leur carrière, de réécrire *La Case de l'oncle Tom* [46]. »

Dans la liste de ces épigones, parodistes ou pasticheurs, les uns ayant moins de talent que d'autres, on retrouve Richard Wright, avec *Les Enfants de l'oncle Tom*, paru en 1938. Ou encore, en 1973, Amiri Baraka avec son *Oncle Tom : Alternate Ending*. Plus proche de nous, Amanda Claybaugh cite également *Beloved*, le roman de Toni Morrison, paru en 1987. Face à l'avalanche de ces romans d'opposition nés sous l'influence de *La Case de l'oncle Tom*, ton jugement est des plus caustiques : « On court le risque d'être taxé de légèreté et même de décadence si l'on insinue que ces livres sont à la fois mal écrits et follement invraisemblables. On nous demande de donner la primauté aux choses essentielles, l'intérêt de la société devant passer avant le raffinement du style et celui de la peinture des personnages. [...] Ils [les romans d'opposition] ne sont que des fantaisies qui ne collent nulle part à la réalité, des mélos, exactement au même titre qu'un film comme *Les Meilleures Années de notre vie* ou les œuvres de Mr James M. Cain[47]. »

Ainsi que le souligne de manière judicieuse Benoît Depardieu : « Alors que les écrivains afro-américains antérieurs avaient insisté sur les causes sociales de la paranoïa noire, tel Richard Wright s'inspirant de l'école de Chicago, Baldwin s'attaque à ses causes psychologiques et pointe une certaine responsabilité du Noir vis-à-vis de sa propre paranoïa[48]. »

*

* *

En menant une croisade contre les romans d'opposition, tu signes ton entrée dans l'arène littéraire et te façonnes la réputation de jeune loup aux dents longues.

Il faut se rappeler que *La Case de l'oncle Tom*, présentée comme une des premières fictions anti-esclavagistes, s'est écoulée à plus de 300 000 exemplaires en moins de deux ans. L'ouvrage est par la suite le seul roman américain à s'être vendu à plus d'un million d'exemplaires, talonnant les ventes de la Bible. Anna Claybaugh souligne la prouesse : à l'époque, le roman était un « bien commun », passant de main en main, emprunté dans les bibliothèques ambulantes, lu à voix haute devant la famille entière, ce qui signifie que chaque exemplaire de *La Case de l'oncle Tom* comptait au moins cinq lecteurs[49]...

Qu'est-ce qui déclenche le succès de ce roman ? Sans doute arrive-t-il à la bonne période, au moment où le sentiment de culpabilité assombrit de plus en plus la mémoire collective des Blancs américains. Beecher Stowe a d'ailleurs écrit son roman en réaction à la loi de 1850 sur l'obligation de dénoncer les esclaves fugitifs. L'accueil fait au livre est tel que ses personnages deviennent les « représentants » d'une partie de la nation qui se veut ouverte, éprise de liberté. On tient enfin le discours rassurant, rédempteur, celui qui condamne un système entier, le blâme. Mieux encore, ces attaques, ces charges contre l'esclavage des Noirs viennent d'une Blanche, de la descendance même des maîtres. D'où cette conclusion hâtive selon laquelle *La Case de l'oncle Tom* aurait inspiré les mouvements antiesclavagistes, confortée par l'invitation à la Maison-Blanche de l'illustre romancière par le président Abraham Lincoln qui vient de signer la Déclaration d'émancipation des esclaves[50]...

L'oncle Tom, le bon nègre, entre dans l'imaginaire de la société américaine : la publicité s'en empare. Le livre n'est pas seulement un best-seller aux États-Unis, son écho est mondial. En France, par exemple, George Sand prend la plume en 1852 pour saluer le talent de sa consœur américaine : « La vie et la mort d'un enfant, la vie et la mort d'un nègre, voilà tout le livre. Ce nègre et cet enfant, ce sont deux saints pour le ciel. L'amitié qui les unit, le respect de ces deux perfections l'une pour l'autre, c'est tout l'amour, toute la passion du drame. Je ne sais pas quel autre génie que celui de la sainteté même eût pu répandre sur cette affection et sur cette situation un charme si puissant et si soutenu. [...] Honneur et respect à vous, madame Stowe. Un jour ou l'autre, votre récompense, qui est marquée aux archives du ciel, sera aussi de ce monde. »

Si George Sand est consciente des faiblesses du roman, relevées aussi par certains critiques, elle est émue par ces « longues causeries, ces portraits soigneusement étudiés », par ce livre que « les mères de famille, les jeunes enfants, les serviteurs, peuvent lire et comprendre, et que les hommes, mêmes les hommes supérieurs, ne peuvent pas dédaigner. » Finalement, son absolution est celle d'une lectrice comblée : «Si le meilleur éloge qu'on puisse faire de l'auteur, c'est de l'aimer ; le plus vrai qu'on puisse faire du livre, c'est d'en aimer les défauts. [...] Ces défauts-là n'existent que relativement à des conventions d'art qui n'ont jamais été absolues.»

Prenant le contre-pied de George Sand, tu soulignes que ces œuvres dites d'opposition se privent de l'exigence de la vérité et noient dans un discours prétendument charitable l'essence même du roman : «En fin de compte, les visées du roman de protestation finissent par ressembler étrangement au zèle déployé en Afrique par ces missionnaires au teint d'albâtre pour cacher la nudité des indigènes, les précipiter dans les pâles bras de Jésus et de là dans l'esclavage. Ils ne tendent plus aujourd'hui qu'à réduire tous les Américains aux dimensions obligatoires et désincarnées de Monsieur Tout-le-Monde[51].»

La Case de l'oncle Tom est une œuvre qui «arrange» tout le monde alors même que la création devrait bousculer les consciences et ne pas sacrifier la réalité historique à l'émotion. Les personnages de *La Case de l'oncle Tom* portent tous un masque qu'il suffit d'ôter pour découvrir la plus grande des supercheries. L'oncle Tom incarnant le cliché du Noir hérité de l'imaginaire américain : il est illettré, a les cheveux crépus, et sa « résistance phénoménale » lui permet de toujours endurer les vicissitudes de la vie de captif, et finalement d'en « triompher ». Quant aux autres esclaves, George, sa femme Eliza et leur fils, l'auteur n'échappe pas aux lieux communs. Le fils ressemble trait pour trait au cireur de chaussures nègre. Eliza, elle, est moins foncée. Et si George est foncé, il est toutefois « peu négroïde », ce qui lui permet d'ailleurs de passer inaperçu. Lorsqu'il « s'échappe de chez son maître déguisé en gentilhomme espagnol, il peut traverser la ville sans soulever autre chose que de l'admiration [52] ».

L'universitaire Amanda Claybaugh, qui semble vouloir rendre justice à ce roman devenu un classique, regrette que l'œuvre ait été condamnée à tort. À ceux qui lui reprochent son racisme et son sentimentalisme, Claybaugh rappelle que Beecher Stowe fut le premier auteur américain à imaginer l'esclave noir en Christ [53]…

*

* *

Plus dures encore sont les critiques que tu formules contre *Un enfant du pays* de Wright à la fin d'«Une opposition complice» et, plus tard, dans un autre article intitulé «Tous ceux qui ont péri» («Many Thousands Gone»)[54] qui, lui, paraîtra dans la *Partisan Review* en 1951.

Crayon en main, lisant de près ton étude, Wright est persuadé que tu tentes par tous les moyens de démolir son œuvre, surtout lorsque tu mets en parallèle *La Case de l'oncle Tom* et *Un enfant du pays*. Tu reproches à son personnage Bigger Thomas de couver une haine aveugle qui le conduit au viol, une peur obsessionnelle qui débouche sur un meurtre : «Il me semble que l'on trouve en filigrane dans ce roman comme une continuation, un complément, à cette monstrueuse légende que son but était pourtant de détruire. Bigger est le descendant de l'oncle Tom, la chair de sa chair, un portrait si exactement opposé que lorsque les deux livres sont placés côte à côte le romancier noir contemporain et la romancière défunte semblent s'étreindre en un combat mortel, intemporel, l'une prononçant des exhortations impitoyables, l'autre hurlant des malédictions[55].»

Mais, ce qui te sépare plus encore de Wright, c'est le regard qu'il porte sur la société noire américaine. Tu estimes que les personnages d'*Un enfant du pays* sont loin de la réalité quotidienne et, de ce fait, désincarnés, privés de cette vie à la fois banale et douloureuse du Noir américain. À ce titre, décor et dialogues sonnent faux : « Il est plus remarquable encore que nous ne soyons guère mieux renseignés sur la dynamique sociale dont on veut nous convaincre qu'il [Bigger] est le produit. Malgré les détails que l'on nous donne sur la vie dans les taudis, je doute que quiconque y a réfléchi quelque peu en se libérant de tout sentimentalisme puisse accepter un seul instant ce postulat essentiel[56]. »

Par conséquent, le jugement que tu rends plus tard sur l'ensemble du roman dans « Tous ceux qui ont péri », condamne à mots couverts la volonté de l'auteur de faire l'impasse sur un aspect plus qu'essentiel : « Il en résulte qu'une dimension nécessaire du roman a été supprimée, celle que constituent les liens que les Noirs ont entre eux, cet engagement profond et cette reconnaissance tacite d'expérience partagée qui crée un mode de vie. Ce que le roman reflète, sans l'interpréter à aucun moment, c'est l'isolement du Noir au sein de son propre groupe et le déchaînement de mépris impatient qui en résulte. C'est là ce qui crée cette atmosphère d'anarchie, de désastre immotivé et incompris[57]… »

*
* *

Peu de temps après la publication d'« Une opposition complice » dans la revue *Zero*, alors que tu te rends au restaurant Lipp, à Paris – Chester Himes est présent –, tu ne t'attends pas à trouver Wright. Il est bien là, l'air grave. Il te reproche ton attitude. Il t'accuse de l'avoir trahi, et, par ricochet, de contribuer non seulement à sa destruction en tant qu'auteur établi, mais aussi à l'anéantissement de la littérature afro-américaine en lui ôtant ce qu'elle aurait d'intrinsèque : l'opposition.

La dispute éclate entre le maître et l'élève. Wright, qui a pris soin de poser sur la table son exemplaire de la revue *Zero*, avance :

« Toute littérature relève de l'opposition… »

L'élève est désormais libre :

« Certes toute littérature pourrait relever de l'opposition, mais toute opposition n'est pas de la littérature[58]… »

Tu feras plus tard le bilan de cette brouille dans « Alas, Poor Richard », (« Hélas, pauvre

69

Richard »), un des essais d'un recueil intitulé *Nobody Knows my name*. Votre « conflit » a été largement utilisé aussi bien par les critiques que par les universitaires, qui l'ont élevé au rang des grandes « rivalités littéraires » des lettres américaines.

En réitérant tes critiques sur l'œuvre de Wright dans « Tous ceux qui ont péri », en 1951, c'est-à-dire deux ans plus tard après l'attaque dans la revue *Zero*, tu accrédites pour certains l'idée d'un acharnement contre le maître. L'article est perçu comme la signature d'un acte de divorce. Cette fois-ci le texte est plus long, plus détaillé, tu y dissèques *Un enfant du pays* et reprécises la notion de « littérature d'opposition » afin de mieux la battre en brèche. Wright est présenté comme le porte-parole du « nouveau Noir » qui aurait la lourde mission de s'engager dans la lutte sociale après avoir « avalé Marx d'un trait », le persuadant que les objectifs du Noir et ceux du prolétaire n'en font qu'un. Or cette mission te semble difficile à assumer, les écrivains « n'étant pas des parlementaires », précises-tu. Le texte est d'une habileté redoutable puisque tu y endosses, tel un personnage de fiction, le rôle d'un Blanc qui évoque puis défend le statut du Noir américain, mais de l'extérieur de sa communauté.

À la lecture de « Tous ceux qui ont péri », il apparaît clairement que tu persistes et signes dans cette divergence de vision de la littérature.

*

* *

Le cœur du problème est pourtant ailleurs. L'élève a acquis son indépendance et réclame à présent le droit de ne pas penser comme le maître. Il ne tient pas à taire cette réalité : « Je voulais que Richard me considère non pas comme le jeune qu'il rencontra autrefois, mais comme un homme. Je voulais sentir qu'il m'avait accepté, qu'il avait accepté mon droit d'avoir ma propre vision, mon droit, comme son égal, d'être en désaccord avec lui[59]. »

À la fureur de Wright, tu mesures l'injustice de la vague de critiques qui s'abat sur lui. Face à ceux qui estiment qu'il est coupé de la réalité, ceux qui lui reprochent d'évoquer un Mississippi et une ville de Chicago tels que les Noirs ne les ont jamais connus, qu'il ignore tout du jazz, sans compter les Africains qui doutent de son « Afrique », ta critique, elle, rétablit un certain équilibre, explique, sinon remet dans leur contexte ces ambiguïtés et ces zones d'ombre.

Certains des détracteurs de Wright étaient allés loin, très loin – comme cet Africain qui, écoutant l'auteur s'exprimer, s'écriera : « Je crois qu'il se prend vraiment pour un Blanc ! »

Tu concluras en réponse :

« Pour ma part, je ne crois pas avoir été aussi loin : mais je commençais, bien malgré moi, à m'interroger sur les habitudes et les risques de l'expatriation. Je ne croyais pas que j'étais un Blanc, et je ne le pensais pas non plus. Mais les Africains pouvaient se dire que je le pensais, et qui aurait pu le leur reprocher ? À leurs yeux, et au regard de mon histoire, j'aurais pu pratiquement être considéré comme le plus pur et le plus dépendant des hommes noirs [60]. »

Il serait inexact de dire que tu n'as pas manifesté la volonté d'avoir une discussion franche avec l'ancien mentor – une discussion qui ouvrirait la voie à la réconciliation. C'était trop tard, il était mort.

*
* *

Au-delà de la polémique, ramenée le plus souvent à une rivalité entre deux écrivains en vue, c'est du statut de l'écrivain qu'il est question dans ces deux textes critiques. Ne vaudrait-il pas mieux retenir cela, et cela seulement ? Langston Hughes, qui rendit compte de *Chronique d'un pays natal* dans les colonnes du *New York Times*, compare l'essayiste et le romancier : « Je préfère de loin *Chronique d'un pays natal* à son roman *La Conversion*… Dans ses essais, les mots et la matière sont en harmonie. La pensée devient poésie, et la poésie illumine la pensée[61] ».

On pourrait se demander comment ces analyses subtiles sur l'écriture, le traitement de l'histoire ou de la condition du Noir et les thèmes apparentés que tu développes dans « Une opposition complice » — thèmes qui seront récurrents dans ton œuvre avec le temps, en y ajoutant celui de la sexualité —, comment tout cela a été mis au second plan pour ne retenir que ta charge contre Wright. James Campbell a bien raison d'affirmer qu'« Une opposition complice » est « une pièce de littérature remarquable » qui confirme la maturité de ton style[62].

*

* *

« L'opposition » dont il est question, celle contre laquelle tu t'insurges, rappelle, à certains égards, une production littéraire d'Afrique noire francophone des périodes coloniale et postcoloniale. Plusieurs de ces œuvres — pas nécessairement écrites par les Africains, mais aussi par des écrivains occidentaux découvrant les « tropiques » — reposent sur le même sentimentalisme que celui de *La Case de l'oncle Tom*. Du moins dans cette « volonté » de s'élever contre les exactions coloniales ou le statut du Noir pendant la colonisation. Ce n'est pas tant l'implication de l'écrivain « sous les tropiques » qui est en jeu, mais sa vision de la société dans laquelle il vit. L'*émotion* que l'auteur insuffle dans ses œuvres ruine peu ou prou l'indépendance et la distance nécessaires à toute activité de l'esprit.

Or il y a cet autre danger spécifique au statut de l'écrivain noir : on attend de lui qu'il place le « problème noir » au centre de son œuvre, que les personnages de couleur fourmillent, qu'il adopte un ton conflictuel, avec pour cible unique le Blanc. C'est ce mot d'ordre tacite qui, autrefois, incitait les auteurs africains — surtout les épigones de la négritude — à vanter dans un élan incantatoire et hystérique les civilisations noires, ou à être des militants de la vingt-cinquième heure face aux colons, voire face à l'impérialisme en général. La littérature se présente alors comme une vaste campagne de dénonciation du système colonial, contrebalancée par la valorisation des racines africaines. Or, cette critique du système colonial aboutit toujours à des fictions formatées : des villes scindées entre partie blanche et partie indigène pour décor, une âpre condamnation du christianisme et de la civilisation occidentale pour message. L'Européen, et seul celui-ci, est à l'origine des malheurs de l'Afrique.

Le romancier guinéen Camara Laye, par exemple, subit les tirs croisés de la bien-pensance qui estimait la présentation d'une « autre Afrique », plus joyeuse, plus intime, plus personnelle, telle qu'elle surgit dans son chef-d'œuvre *L'Enfant noir*[63], comme une marque d'insouciance, d'irresponsabilité, au moment où l'ennemi déclaré était le système colonial. D'innombrables auteurs allèrent dans ce sens, ainsi que l'illustrent les premières œuvres du Camerounais Eza Boto, plus connu sous le nom de Mongo Beti[64]. Celui-ci, comme toi, cher Jimmy, avait longtemps vécu en France. On connaissait son esprit rebelle, son courage intellectuel et son intransigeance. Il estimait que l'écrivain devait se lever, blâmer, rugir face à l'actualité, et non adopter « l'attitude stérile du spectateur », pour reprendre les mots d'Aimé Césaire[65]. Ne concevant donc pas qu'on puisse écrire durant la période coloniale l'histoire d'un jeune Africain heureux au milieu des siens, il s'en prendra ouvertement à son confrère Camara Laye dans les termes qui suivent : « Laye ferme obstinément les yeux dans son roman *L'Enfant noir* sur les réalités les plus cruciales. Ce Guinéen n'a-t-il donc rien vu d'autre qu'une Afrique paisible, belle, maternelle ? Est-il possible que pas une seule fois Laye n'ait été témoin d'une seule exaction de l'Administration coloniale française [66] ? »

Je veux privilégier, cher Jimmy, l'indépendance du romancier, et je me méfie de la « littérature de troupeau ». L'écrivain devrait toujours donner sa propre version de la condition humaine, même à l'opposé de la pensée unique et moralisante.

Une certaine littérature africaine dite des « enfants soldats » ou encore du « génocide au Rwanda » – lorsqu'elle était destinée plus à « l'opposition » qu'à une véritable compréhension des drames – m'a définitivement convaincu que nous n'étions pas sortis de la spirale de *La Case de l'oncle Tom*, et que le sentimentalisme, le moralisme qui sous-tendent certaines de ces œuvres nuisent aux lettres africaines. Si nous n'y prenons pas garde, l'auteur africain n'a plus qu'à attendre la prochaine calamité sur son continent pour commencer un livre dans lequel il blâmera plus qu'il n'écrira.

On m'objectera le devoir d'engagement, l'obligation de dire les plaies de l'Afrique, d'accuser ceux qui tirent le continent vers le bas. Mais qu'est-ce que l'engagement si celui-ci conduit à l'effacement des individualités ? Beaucoup se dissimulent derrière ce masque pour nous donner des leçons, pour nous imposer une vision du monde où il y aurait d'un côté les vrais fils d'Afrique, et, de l'autre, les *ingrats* — étant entendus que ces derniers sont considérés comme les larbins de l'Europe. Par nature, je me méfie de ceux qui brandissent des bannières, et ce sont les mêmes qui réclament à cor et à cri l'« authenticité », celle-là même qui a plongé le continent africain dans ses tragédies.

Introduisant son *Anthologie négro-africaine*, l'universitaire Lilyan Kesteloot soulignait déjà : « il est préférable en effet de se cantonner dans son petit moi que de jouer les grandes orgues de l'unanimité nègre sans y croire... La question de l'engagement se règle dans la conscience de chacun et n'est pas un critère esthétique[67]... »

L'opposition, si nous l'élargissons à l'engagement, devrait transformer le cri, l'émotion, l'exacerbation, en acte de création détachable de son contexte temporel. Et c'est dans ce sens que le *Cahier d'un retour au pays natal* de Césaire ne prendra jamais une seule ride. À l'inverse, il me suffit d'ouvrir certaines œuvres de l'époque de la négritude pour constater combien elles n'ont pas résisté à l'épreuve du temps. Et si leurs rides sont profondes, c'est parce que les auteurs ont oublié que « l'opposition pour l'opposition » ne sera jamais un acte de création mais un bêlement sans lendemain. L'opposition – oh, pardon, l'engagement – doit tirer ses forces à la fois de l'expérience personnelle et du destin de la communauté. L'art ne peut se dispenser du « devoir de violence ». Et, cher Jimmy, c'est ce devoir qui traverse de bout en bout ton œuvre, comme le démontra le Camerounais Simon Njami dans une biographie qu'il te consacra [68].

5.

Noir, bâtard, homosexuel et écrivain

Tu as essuyé les « labels », entre autres, de
« Nègre », de « Garçon venu du ghetto », de
« Bâtard », mais surtout de « Pédé ».

Si James Campbell, dans sa biographie, combat
surtout cette dernière appellation — raccourci
pratique pour la plupart de tes adversaires —, c'est
qu'il est conscient que l'homosexualité est pour
toi l'expression de ta liberté, une manière d'être
toi-même, et non la manifestation de quelque
déviation, ou encore, selon ses termes, une
« ambivalence génétique », définitions qui fausse-
raient la compréhension de tout individu[69].

En ton temps, la contradiction était flagrante :
d'une part, ton pays élevait la liberté individuelle
au rang d'idéal démocratique, mais, de l'autre, il
légitimait la ségrégation raciale. Par conséquent,
comme l'affirme Dwight A. McBride, la confron-

tation idéologique entre les blocs capitaliste et communiste allait modifier le discours sur le sexe, la race et la communauté afro-américaine[70]. Tu allais participer à ce discours…

En effet, après avoir accueilli dans son premier numéro ton article « Une opposition complice », la revue *Zero* en fit paraître un autre dans le suivant, intitulé « Preservation of Innocence »[71]. C'est un texte bref aux envolées philosophiques et qui tourne autour de la « normalité » et de « l'anormalité » de la « nature humaine ». Le drame de l'homosexuel, ainsi que tu l'analyses, c'est qu'il devra en tout temps affronter le grief le plus absolu : il est *anormal* parce qu'il a pris le parti de se détourner de sa fonction originelle, celle de *procréateur*, pour une relation vouée à l'infertilité. L'homosexualité étant aussi vieille que le genre humain, l'attitude la plus adéquate serait de la considérer comme relevant de la normalité. Le sexe, avec ses mythes, nous met face à la complexité de nos habitudes et de nos croyances. L'homme et la femme, rappelles-tu, ont en commun l'« imperfection » et sont indissociables. De ce fait, la falsification de la nature de l'un influe sur celle de l'autre. Leur séparation de manière absolue – l'homme devant se conforter dans sa masculinité, et la femme affirmer sa fonction de femme – ruinerait l'âme de chacun.

S'il est souvent répété que les femmes ont plus de délicatesse, les légendes insinuent « qu'elles portent mythiquement, et même historiquement, le sceau de la traîtrise[72] ». Le roman, la poésie, le théâtre, la fable, ont donc parfois entretenu ce paradoxe que seule l'expérience personnelle est à même d'éclairer, puis d'enrayer. « Or cette expérience n'est transmissible dans aucune langue que nous connaissons. La prise en compte de cette complexité est un signe de maturité, une preuve de notre passage de l'âge de l'enfance à celui d'adulte[73]. »

« Preservation of Innocence » demeure à ce titre le tout premier texte dans lequel tu te prononces explicitement sur l'homosexualité avant de prolonger ce thème dans les œuvres qui suivront, notamment ton deuxième roman, *La Chambre de Giovanni*.

Un autre article, « Freaks and American Ideal of Manhood »[74], paraît en janvier 1985, deux ans avant ta mort, dans le célèbre magazine érotique américain *Playboy*, fondé en 1953 par Hugh Hefner. Ce mensuel accueille de temps à autre des écrivains, et on y retrouve les signatures de grands noms de la littérature mondiale comme Vladimir Nabokov, Ian Fleming ou Margaret Atwood.

Dans « Freaks and American Ideal of Manhood », tu traites la « masculinité » en t'appuyant sur une multitude d'éléments autobiographiques. Il s'agit de regarder ta propre expérience d'homosexuel et de comprendre le regard malveillant de l'autre, en particulier de l'hétérosexuel américain.

Partant de la notion d'androgynie, tu argues qu'il y a une femme dans chaque homme, et vice versa. Par conséquent, « l'amour entre une femme et un homme, voire entre deux êtres de même sexe, ne serait possible que si nous avions les ressources spirituelles des deux sexes [75] ». Or l'*idéal* américain de la sexualité est intimement lié à une certaine idée de la masculinité. C'est cet *idéal* qui aurait créé, entre autres, « les cow-boys et les Indiens, les bons et les mauvais garçons, ou encore les Blancs et les Noirs [76] ». Le jeune Américain évoluerait alors dans le complexe de cet imaginaire...

Tes premières relations homosexuelles – même si cela se résume en ce temps-là à quelques aventures – s'ébauchent dans les bars de Greenwich Village. La ville de New York, selon McBride, attire alors les hommes et les femmes qui explorent et expriment leur différence sexuelle. À Greenwich Village, vous êtes quelques *faggots* [77] à essuyer les quolibets des « gardiens de la morale » : « Nous étions trois, si je m'en souviens bien, lorsque je déambulais dans ces rues, et j'étais le plus jeune, le plus visible et le plus vulnérable[78]. »

À l'âge de seize ans, ces « mauvais garçons » te pourchassent, parfois sous le regard amusé et complice des policiers. Ce qui te fera dire qu'en réalité tu ne redoutais pas ces derniers, mais plutôt ces garçons qui jugeaient que tu ternissais la respectabilité du voisinage.

Le refuge ? Où aller ? Dans une salle de cinéma ? Il y a à craindre la main baladeuse de tel homme plus âgé que toi, ou cet autre qui, debout devant des livres pornographiques, te regarde avec des yeux qui en disent long : « Il y avait des types de tout genre, le plus souvent jeunes et, en ce temps-là, presque exclusivement des Blancs[79]. »

Richard Wright ne verra jamais d'un bon œil ton choix de vie. L'homosexualité, pour lui, était liée à la perversion. Il ne répugne pas aux généralités lorsque, parlant de toi à un de ses amis, il lance : « C'est toujours la même chose avec les homos », ou encore : « Il peut écrire, certes, mais c'est un pédé[80]. »

*

* *

La parution de *La Chambre de Giovanni*, en 1953, est un événement. Trois raisons à cela : le roman ne se déroule pas en Amérique, il ne met pas en scène des personnages noirs, l'homosexualité du héros est nettement affirmée.

Si *La Chambre de Giovanni* a la France pour décor, ce n'est pas anodin. Ce déplacement dans l'espace dévoile ta soif de liberté, ta volonté d'ouverture et de rupture avec le « roman d'opposition ». Ton héros tranche avec l'archétype du roman afro-américain : David n'est pas noir. Rien à voir avec John Grimes, ton « double » dans *La Conversion*, considéré alors comme un des « premiers livres sur la condition des Noirs ».

David côtoie le milieu homosexuel de Paris pendant que sa fiancée, blanche et américaine, est en voyage en Espagne. Le roman pose de manière originale un regard sur la quête de l'identité sexuelle, prolongeant de la sorte les réflexions contenues dans « The Preservation of Innocence » et que tu poursuis, à l'automne de ta vie dans « Freaks and American Ideal of Manhood ».

Sur la quatrième de couverture de la première édition en poche, on découvre l'écho de la presse. Le *New York Herald Tribune* célèbre « l'histoire d'un jeune Américain confronté à l'amour à la fois d'une femme et d'un homme », avant d'ajouter que « Mr Baldwin traite de ces questions avec un exceptionnel degré de candeur et, cependant, avec une telle dignité et une telle intensité qu'il évite le piège du sensationnalisme ». *The Evening Standard*, quant à lui, est plus que conquis : « Probablement le meilleur, et certainement le roman le plus franc sur l'homosexualité depuis des années... »

Le récit est bouleversant, aussi bien pour la détresse des personnages que par la beauté d'une écriture alerte et sensuelle, par la force des images et l'intensité poétique. Plutôt que de ressasser le trouble collectif sur la condition du Noir, tu explores le désespoir individuel, la tragédie sans issue d'un homme confronté à la solitude, à l'acceptation de son destin poussée jusqu'à l'autodestruction. Tel est le sens même de toute ton œuvre : c'est à travers le singulier qu'on peut comprendre le collectif.

Toujours est-il que *La Chambre de Giovanni* déclenche des réactions très négatives au sein de la communauté noire américaine. Le militant des Black Panthers, Eldridge Cleaver, ne mâche pas ses mots et récuse au passage la totalité de ton œuvre : « Il y a dans l'œuvre de James Baldwin la haine la plus agonisante, la plus totale, contre les Noirs, en particulier contre lui-même, et la plus honteuse, la plus fanatique et la plus servile attraction pour les Blancs qu'on ne pourrait trouver chez n'importe quel écrivain noir américain de notre temps [81]. »

Est-ce à dire que ce roman serait sourd au cri de l'opprimé, insensible à la puissance revendicative ? En quelques phrases – sans doute très vite ignorées par tes contradicteurs –, tu donnes une lecture distanciée de l'histoire de la rencontre des peuples, avec tout ce que cela comporte de douleurs, de rancœurs, d'humiliations et de viols. C'est au fond un chant de réconciliation, de pardon et de rédemption qu'on entend lorsque le personnage de David confie dès la première page : « Mon visage ressemble à un visage que vous avez vu maintes fois. Mes ancêtres ont conquis un continent, ils ont traversé des plaines jonchées de morts jusqu'à un océan qui, tournant le dos à l'Europe, faisait face à un plus sombre passé. »

*

*   *

Un autre pays, publié en 1962, pointe, au-delà des frontières raciales et du *genre*, ce qui divise

86

une société américaine repliée sur un puritanisme de façade. Un livre qui t'attire, une fois de plus, les foudres non seulement de la communauté noire, mais aussi d'une critique pudibonde. Lorsqu'il rend compte du roman dans les colonnes du *New York Times*, Paul Goodman a un verdict d'instituteur acariâtre : « C'est un livre médiocre... Il [Baldwin] devrait plutôt écrire quelque chose de plus surprenant et de plus poétique[82]. »

C'est que Paul Goodman est désorienté par l'approche analytique des personnages et par le traitement sans fard des préjugés raciaux. Goodman attend le roman sentimentaliste qui le rassurerait, conforme au schéma qu'il se fait des lettres noires américaines. Là où ce critique cherche quelque chose de « plus surprenant » et de « plus poétique », tu proposes la réalité crue des rapports entre hommes et femmes, voire des relations où l'ambiguïté et la confusion des sexes sont affichées délibérément.

La première partie du livre met face à face un musicien noir au bord de la déchéance et Léona, une Blanche qu'il est censé humilier en lui faisant l'amour : « L'acte sexuel n'est ici que l'actualisation du fantasme dont l'homme noir est investi par l'homme blanc. Rufus sombre psychologiquement et finira par se suicider car il accepte de jouer le rôle que le Blanc lui assigne dans son imaginaire [83]. »

Derrière l'acte sexuel que tu décris, c'est l'histoire de l'Amérique qui est en cause.

« Leona le portait, comme la mer porte un bateau... Ils murmuraient et sanglotaient au cours de ce voyage [...] Chacun s'efforçait d'atteindre un port. [...] Il voulait qu'elle se souvienne de lui, jusqu'à la mort. Et rien n'eût pu l'arrêter alors, ni le Dieu blanc lui-même, ni une foule accourue pour le lyncher. À mi-voix il maudit cette chienne d'un blanc de lait et poussa un grognement en faisant aller son arme entre les cuisses de la femme [84]... »

Virtuosité de ta part, qui distilles dans cette désespérante scène d'accouplement toutes les figures imposées de la geste afro-américaine : la traversée en bateau, le lynchage prévisible du Noir ayant approché une Blanche, la vengeance du Noir sur une Blanche égarée hors de son territoire de domination.

Mais quand Rufus demande à Léona ce qu'elle peut bien faire en plein cœur de Harlem, dans une boîte de nuit grouillant de personnes de couleur, elle répond avec le plus grand naturel :

« Je n'ai jamais eu peur des Noirs. Ce sont des hommes comme les autres, pour moi. »

Comment vivre un tel amour quand il faut braver le regard des autres ? L'acte sexuel accompli dans la nuit et l'intimité d'une misérable chambre de Harlem peut-il cimenter deux êtres, les rendre solidaires le lendemain, lorsqu'il faudra affronter le qu'en-dira-t-on ?

Rien n'est gagné d'avance : « Ils firent face au vaste monde quand ils sortirent dans les rues ce dimanche-là. [...] Et Rufus s'aperçut qu'il n'avait pas du tout pensé à ce monde ni à sa puissance de haine et de destruction [85]... »

Pour Goodman, il n'y a là rien de « surprenant » ou de « poétique », rien, malgré le dérèglement, le conflit intérieur des personnages hantés par cette expérience sexuelle, non, tout cela passe au-dessus de notre critique.

6.

Du Noir américain et de l'Africain :
l'incompréhension

En France, tu espères progresser dans ta quête identitaire loin des schémas imposés dans ton pays. Une telle recherche se révèle plus complexe que tu ne le croyais. L'expérience de la migration te met face à d'autres cultures, d'autres peuples, et t'amène à réviser tes positions. Leeming écrira que, ironiquement, une fois établi en Europe, force te fut d'admettre que le « vieux » continent n'avait en aucun cas changé ton être, et que la métamorphose ne se produirait jamais : tu demeurais un Noir comme tu l'avais été à New York. L'Europe t'aide, au mieux, à appréhender ce qu'est un Noir venant des États-Unis[86]. Le ghetto de Harlem avait suscité en toi « une impression de congestion, assez semblable à ce martèlement insistant, affolant, claustrophobe, qui vous résonne dans le crâne lorsque vous essayez de respirer dans une pièce trop petite dont les fenêtres sont fermées [87] ».

Est-ce maintenant la fin de ce cloisonnement qui n'atteignait pas que le corps, mais aussi l'âme ? L'Europe t'offre-t-elle l'espace nécessaire pour respirer ?

Après le rejet systématique dans ton pays, tu dois à présent affronter une autre réalité, le repli sur soi, voire l'effacement de ton être : « Le Noir américain à Paris est obligé, en fin de compte, de se livrer à une discrimination peu démocratique qui consiste à soupeser et jauger ses gens un par un et à les distinguer les uns des autres. Ce désir d'isolement, et surtout cet irrésistible besoin qu'il éprouve de se faire, en quelque sorte, oublier font qu'à Paris le Noir américain est pratiquement l'homme invisible [88]. »

Une telle « invisibilité » permet, de prime abord, de n'être qu'un « homme parmi les autres », et non celui qu'on montre du doigt. Cette tentative d'effacement est quasi instinctive, comme s'il fallait se méfier de la soudaine liberté dans un monde à découvrir. Or, et tu l'apprendras très vite aussi, les hommes de couleur ne sont pas logés à la même enseigne en Europe : le traitement n'est pas identique suivant qu'on est un Noir d'Amérique et un homme qui vient d'Afrique noire, en particulier des colonies françaises. L'histoire, insisteras-tu, bouleverse les pays et les continents. Et quel plus grand lieu de bouleversement que l'Europe ? Certes, il suffit de faire quelques pas dans les rues de Paris pour mesurer la richesse et le prestige de cette culture française à travers l'architecture, les musées, mais aussi les grandes artères bondées de touristes. Cependant, au bout de l'artère, il y a toujours un passage obscur, une impasse, un cul-de-sac. Et, au fond de cette impasse, un homme assis sur un banc, une canette de bière à la main. L'autre visage de la France s'impose alors : la France des « métèques », des réfugiés, des exilés, d'anciens colonisés. Les parias de la République, en quelque sorte. Parmi eux, il y a ceux qui ont combattu pour la France et qui attendent en vain leur pension ou ceux dont les parents sont morts au front et qui espèrent lire un jour le nom de leur ascendant dans les manuels d'histoire de la République française.

Leur présence ? Très « visible ». Des mouches dans une casserole de lait. Et, dans leur voix, le murmure du désespoir.

Paris devient ainsi pour toi un véritable laboratoire « jouant un rôle dans l'élaboration de l'"expérience africaine", dans la formulation et la reformulation de la condition noire vue dans son ensemble [89] ». Or la grande erreur, en ce qui concerne la perception des « communautés noires » en France, souligne Dominic Thomas dans son essai, *Black France*, serait de mésestimer les différentes forces qui sont à l'origine de leur émergence. Il faut se garder, précise-t-il, d'y voir une communauté homogène. C'est ainsi que, dans une œuvre romanesque comme *Le Docker noir* de l'écrivain sénégalais Ousmane Sembène, l'auteur décrit une communauté noire dans laquelle l'Antillais est placé au-dessus du Sénégalais – ce terme qualifiant alors tout Africain, indépendamment de son pays d'origine, avec ce que cela implique dans l'attitude de la France à l'égard de l'homme de couleur venu du continent noir [90]…

Combien de fois, d'ailleurs, cher Jimmy, durant mon long séjour en France, ne m'a-t-on demandé si j'étais sénégalais ? L'imaginaire a fini par façonner ce personnage générique que nous avons hérité de notre participation à la Première et à la seconde Guerre mondiale aux côtés de la France. Et répondant à mes interlocuteurs que j'étais congolais, il fallait encore préciser, avec patience et pédagogie, qu'il y avait deux Congo, alors même que les frontières entre l'ex-Zaïre (République démocratique du Congo aujourd'hui) et mon pays (République du Congo) ont été tracées par les Européens ! Fallait-il aussi que j'ajoute que ma capitale, Brazzaville, avait été celle de la France libre pendant l'Occupation ? Excédé, il m'est souvent arrivé de m'accepter tel qu'on l'avait décidé pour moi, comme Sénégalais. Avec le recul, je constate que je reprenais inconsciemment la réaction de mes ancêtres congolais qui, eux aussi, dans l'armée française et dans l'esprit de tous, étaient appelés « tirailleurs sénégalais » et s'acceptaient comme tels.

*
* *

Quelle est donc la place du Noir américain dans cette « tour de Babel » ? La quête se révèle plus vaste et dépasse ton cas de citoyen de couleur venu d'Amérique, cher Jimmy. Elle englobe désormais le comportement de l'autre migrant, sa manière de vivre, mais surtout l'attitude de la France quant à cette juxtaposition de citoyens débarqués sur ses terres chacun avec ses mobiles, chacun avec son passé…

À Paris, les étudiants africains que tu rencontres vivent « groupés dans les mêmes quartiers, dans des cités universitaires, et les conditions matérielles qui leur [sont] imposées [doivent] obligatoirement sembler insupportables à un Américain[91] ».

Loin d'être « aliéné de lui-même », l'Africain, à la différence de l'Américain de couleur, ne nourrit pas l'inquiétude du déracinement, même s'il a vécu les injustices de l'histoire, et n'a pas, « toute sa vie durant, été talonné par le désir d'être accepté par une culture qui considère les cheveux plats et une peau blanche comme les seuls canons acceptables de la beauté[92] ».

L'Africain a, au contraire, l'assurance — peut-être exagérée — de venir d'un continent aux contours bien définis, d'une nation prétendument souveraine et dont il espère au fond de lui l'émancipation, la rupture du lien de dépendance avec la puissance coloniale. En cela, il se reconnaît une parenté avec les autres immigrés dont les territoires sont encore sous la domination française.

À l'opposé, le Noir américain, lui, doit aller en quête de son identité. Fruit d'un viol de l'histoire et d'un voyage funeste, il veut reconstituer le parcours de cette traversée qui le catapulta de son continent d'origine, l'Afrique, vers les champs de coton dans lesquels on entendait s'élever des refrains de gospel entrecoupés de coups de cravache et d'aboiements de chiens de garde. L'Américain n'oublie pas ses désirs de rébellion, sa jambe coupée en cas de tentative de fuite, la corde de la potence, et, pour les jeunes filles, les abus de pouvoir d'un maître vicieux qui allait être à l'origine d'une descendance de bâtards.

En Amérique, comme le souligne Frantz Fanon, « le nègre lutte et il est combattu. Il y a des lois qui, petit à petit, disparaissent de la Constitution. Il y a des décrets qui interdisent certaines discriminations. Et nous sommes assurés qu'il ne s'agit pas alors de dons. Il y a bataille, il y a défaites, trêves, victoires[93]. »

Le Noir américain a échoué dans une contrée qui n'est pas la sienne, le Nouveau Monde. Ce « territoire d'accueil » l'a réduit à un statut si humiliant qu'il ne participe pas aux décisions de cette nation pourtant multiraciale, mais dominée de main de maître par les Blancs. C'est dans ce sens que tu t'écries : « Je ne saurais accepter de n'avoir point voix au chapitre des affaires politiques de mon pays. Je ne suis pas sous la tutelle des États-Unis. Je suis l'un des premiers Américains à être arrivés sur ces rives[94] ».

En somme, si l'Africain se rattache naturellement à l'Afrique, le Noir américain, lui, la mythifie, fabrique des légendes, songe à cette terre promise comme à celle de la liberté absolue. Il souhaite retourner dans le berceau de ses ancêtres. Son Afrique est par conséquent un « pays rêvé ».

De l'autre côté, l'Africain veut changer sa terre, son « pays réel », reprendre au colon le pouvoir de décider du destin de son peuple, mettre fin à l'exploitation des richesses de ses terres. C'est un combat d'émancipation, de reconquête du territoire. L'Africain veut chasser le colon. Le Noir américain se bat pour qu'on le reconnaisse comme citoyen à part entière.

Pourtant, le Noir américain et l'Africain sont des étrangers l'un à l'autre. L'Africain a *une idée certaine* de l'Afrique, et, en cela, il réclame le monopole de la *source*, une source dans laquelle, d'après lui, tous les lamantins éloignés – les Noirs dits de la diaspora – reviendront boire un jour ou l'autre, parce que l'eau chaude n'oublie jamais qu'elle a été froide.

Si le Noir américain, lui, a non pas une idée certaine mais *une certaine idée* de l'Afrique, il reste qu'entre le mythe et la réalité il y a un fossé qu'il ne franchira pas. Le mythe, c'est celui de ses ancêtres arrachés du continent. La réalité, c'est ce combat qu'il mène pour la reconnaissance de son identité dans son nouveau territoire.

*

* *

Le « malaise » entre l'Africain et le Noir américain est encore plus patent lorsqu'il s'agit du débat intellectuel.

Du 19 au 22 septembre 1956 se tient à Paris, à la Sorbonne, à l'initiative du créateur de la revue *Présence africaine*, Alioune Diop, le premier congrès des écrivains et artistes noirs. Chargé de couvrir l'événement pour *Preuves* et *Encounter*, tu observes de près le mouvement de la *négritude* lancé par Aimé Césaire, Léon Gontran Damas et Léopold Sédar Senghor. Cette rencontre, au lieu de te rapprocher de l'Afrique, accroît ton sentiment d'incompréhension. Tu estimes que le congrès est une véritable déception. Les représentants de la négritude sont coupés de la réalité, et, lorsqu'ils s'expriment – en France, en français, donc dans la langue de leur colonisateur –, leur approche des enjeux est biaisée, dans la mesure où leur vision est franco-française et où la « dialectique » l'emporte sur les questions de fond.

La négritude reste une idée vague et creuse dans laquelle tu ne te reconnais pas. Et certains intellectuels africains – comme Manthia Diawara – ne cachent pas non plus leurs réserves à ce sujet. Diawara est persuadé qu'avoir en commun l'«adversaire blanc» ne saurait constituer le fondement d'une culture commune. Et même lorsque Senghor, dans une envolée lyrique, fait l'éloge du roman *Black Boy* de Richard Wright, tu te dis que le poète sénégalais n'a pas encore mesuré l'ampleur de cette «incompréhension» profonde qui caractérise les rapports entre Africains et Noirs américains. La lecture que fait Senghor de *Black Boy* insiste en effet sur l'héritage africain de Richard Wright. Or celui-ci a plutôt commis une *autobiographie américaine* qui ne peut être appréhendée que dans le contexte de l'expérience personnelle, la sienne en tant que Noir d'Amérique, avec ce que cela comporte de luttes, de refoulements, de reniements et de bannissement. En réalité, le putsch des intellectuels africains de ce congrès de 1956 consiste à vouloir intégrer l'expérience personnelle du Noir américain dans le concept de négritude afin de donner à celle-ci une dimension plus ouverte, plus éclatée[95]. Ton sentiment de malaise remontant à la surface, tu confieras, trois ans après ce congrès, à l'historien Harold Isaacs : « Ils [les Africains au congrès] haïssaient l'Amérique, racontaient beaucoup d'histoires sur la race, ramenaient tout sur le terrain de la couleur de la peau. Politiquement parlant, ils en savaient à peine quelque chose. Chaque fois que je me retrouvais avec un Africain, nous étions l'un et l'autre gênés. Les circonstances de nos vies respectives étaient tellement opposées que nous avions presque besoin d'un dictionnaire pour nous comprendre[96]. »

7.

Les années de feu

Ton essai, *La prochaine fois, le feu*, paraît en 1963.

Le contexte est celui de la remise en cause de la structure de la société américaine sourde aux diverses revendications des «minorités». C'est aussi l'année de l'assassinat du président John Fitzgerald Kennedy alors qu'il entame une tournée pour sa réélection. Cette tragédie est un coup dur pour l'avancée des droits civiques. Kennedy luttait contre la ségrégation raciale encore perceptible dans certains États du pays malgré l'interdiction pourtant édictée par un arrêt de la Cour suprême en 1954. Il a apporté son soutien à Martin Luther King et a reçu l'ensemble des leaders des droits civiques.

À cette époque, soucieux de participer au destin de ton pays, tu quittes la France provisoirement. Tu n'es pas un simple spectateur, surtout pas un simple témoin de l'histoire. Ta voix compte maintenant au sein de la communauté noire. C'est un devoir, le devoir du citoyen, d'abord, mais aussi de l'écrivain, vu désormais comme le porte-parole des «sans voix». Tu aurais fait tiennes les envolées d'un Aimé Césaire de retour dans sa contrée :

«Et voici que je suis venu !

«De nouveau cette vie clopinante devant moi, non pas cette vie, cette mort, cette mort sans sens ni pitié, cette mort où la grandeur piteusement échoue [97]... »

Publié aux États-Unis en janvier, *La prochaine fois, le feu* se classe immédiatement parmi les meilleures ventes. Quelques mois plus tard, ta renommée croissante te vaut la couverture du magazine *Time*. Tes propos sont suivis de près, et, bien avant, le FBI avait ouvert un dossier te concernant (le fameux dossier 100-146553). Tu n'ignores pas que le Bureau fédéral d'enquêtes te surveille. Tu en parles à tes proches, tu en parles de plus en plus, craignant d'être un jour la victime d'un complot et de finir dans des conditions mystérieuses, comme Martin Luther King ou certains membres du clan Kennedy. Le moindre

de tes déplacements et de tes gestes est soigneusement noté, jusqu'au ridicule si l'on considère
que l'enjeu est la sûreté de l'État. Le dossier 100-
146553, désormais consultable sur le site Internet
du FBI, contient par exemple des détails du
genre : « On ignore la résidence actuelle de James
Baldwin, l'écrivain nègre et dramaturge. Il a eu
un rendez-vous amoureux avec Paul Robeson à
l'Americana Hotel. On rapporte que Baldwin
pourrait être un homosexuel, tout laisse à penser
qu'il l'est. »

En 1963, c'est la course contre la montre.
Tu entames une tournée dans les États du Sud,
cœur du « problème noir ». Pour cela, tu n'hésites
pas à revenir dans les églises, à prêcher cette fois-
ci une autre manière d'aimer son prochain : la
tolérance, la reconnaissance de l'identité des
droits des minorités. Tu pousses le culot jusqu'à
interpeller Robert Kennedy au sujet des repré-
sailles de la police lors d'une marche pacifique des
partisans des droits civiques à Birmingham, en
Alabama. Robert Kennedy te reçoit avec d'autres
leaders noirs. Pouvait-il en être autrement ?
C'est en août 1963 que se déroule enfin, à
Washington, la fameuse marche pour les droits

civiques. On entend l'inoubliable «*I have a dream*» de Martin Luther King.

Au cours de la marche, tu es dans la foule, non loin de Marlon Brando.

*
* *

Avec *La prochaine fois, le feu*, tu signes le texte le plus profond, le plus politique, le plus littéraire, sur l'émancipation du Noir, son statut et son devenir en Amérique. Si les applaudissements fusent, des voix discordantes ne tardent pas à se faire entendre. Et d'ailleurs, sentant venir l'orage qui va s'abattre sur toi, Sheldon Binn note dans la recension qu'il fait de l'essai : « Ce qu'il a peint dans ce livre dérangera même les quelques Blancs qui se considèrent comme les amis des Noirs. Mais il ne l'a pas écrit pour plaire. Cela vient d'un cœur qui a ressenti une douleur aiguë, d'un cerveau qui cherche encore l'espoir devant ce qui semble être l'impitoyable logique du désespoir[98]. »

À cause du ton menaçant de l'essai, on te reproche de monter un camp contre l'autre ; plus encore, le livre est vu comme un acte partisan, et tes thèses sont taxées d'extrémistes. Albert

Memmi, qui donnera plus tard une préface à l'édition française de l'ouvrage, demeurera perplexe et se demandera si tu n'exprimes pas la même chose que ce que les Black Muslims réclamaient en des termes plus belliqueux : la disparition pure et simple du Blanc pour laisser la place au Noir : «Baldwin dit-il autre chose quand il propose avec tranquillité, et une pondération apparente, que l'Amérique cesse de se considérer comme une nation blanche ? Devons-nous avouer aussi qu'après la lecture de son livre, nous sommes plus effrayés que Baldwin lui-même[99] ? »

Il n'est pas question pour toi de se liguer contre celui que beaucoup qualifient – comme naguère ton père – de «démon blanc». Il faut dépassionner les uns et les autres, repenser une *intégration* : «Il serait lamentable de voir encore une fois les peuples se former en blocs sur la base de leur couleur. [...] Humainement, personnellement la couleur n'existe pas. Politiquement elle existe. Mais c'est là une distinction si subtile que l'Ouest n'a pas encore été capable de la faire. Et au centre de ce terrible orage, de cette vaste confusion se trouvent les Noirs de ce pays à qui il faut maintenant partager le sort d'une nation qui

107

ne les a jamais acceptés et dans laquelle ils furent amenés couverts de chaînes [100]. »

La prochaine fois, le feu ouvre les portes à tous ceux qui veulent comprendre ta définition – si définition il y a – du Noir américain face à son compatriote blanc. Le rugissement qui s'élève des pages, le séisme que provoquent tes thèses, le crépitement d'un feu qui approche, sont autant de présages à considérer.

Et l'Amérique n'est pas dupe : elle a entendu le message. Mais peut-elle te suivre jusqu'au bout ? Est-ce un livre que tu viens d'écrire *contre* l'Amérique ou *pour* l'Amérique ? Est-ce un livre *pour* tes frères de couleur ou *contre* eux ? Des questions qui rappellent celles posées par la parution des *Damnés de la terre* de Fanon, à la différence près qu'ici le texte met face à face Martiniquais et colons. Pour que ces derniers s'emparent du livre, et bien qu'il considère l'ouvrage de Fanon comme adressé à ses frères de couleur, Jean-Paul Sartre écrit : « Européens, ouvrez ce livre, entrez-y. Après quelques pas dans la nuit vous verrez des étrangers réunis autour d'un feu, approchez, écoutez : ils discutent du sort qu'ils réservent à vos comptoirs, aux mercenaires qui les défendent. Ils vous verront peut-être, mais ils continueront à parler entre eux, sans même baisser la voix... Dans ces ténèbres d'où va surgir une autre aurore, les zombies, c'est vous[101]. »

De même, l'Amérique ne peut plus demeurer insensible à la question raciale dès lors qu'elle engendre des écrivains tels que toi. *La prochaine fois, le feu* alerte sur les dangers de la situation, mais assure que tout n'est pas perdu et qu'il est possible de déjouer la prophétie contenue dans la chanson écrite par un esclave :

> *Et Dieu dit à Noé*
> *Vois l'arc en le ciel bleu*
> *L'eau ne tombera plus*
> *Il me reste le feu...*

La prochaine fois, le feu s'achève par cette prédiction aux accents bibliques, cette Bible que tu connais du bout des doigts.

Et si l'Amérique n'écoute pas ? Que se passera-t-il ?

« Eh bien, s'il en est ainsi il ne nous reste qu'à faire ce qui est en notre pouvoir pour changer ce destin et quels que soient les risques à encourir : l'expulsion, l'emprisonnement, la torture, la mort[102]... »

Ces déclarations rappellent celles d'un Malcolm X qui prône la conquête des droits « par tous les moyens nécessaires ». C'est à n'en pas douter cette convergence que souligne Albert Memmi dans sa préface à ton ouvrage.

*
* *

En son temps, ton confrère W.E.B. Du Bois affirmait que le problème du XXe siècle était celui des rapports entre Blancs et Noirs. *La prochaine fois, le feu* tempère cette assertion et déclare que « donner de l'importance à la couleur d'une peau est toujours, partout et à jamais un faux-fuyant [103] », néanmoins tout au long de ces années de feu, la question raciale restera primordiale aux États-Unis.

Dans *Blues for Mister Charlie*, tu t'empares d'un fait divers raciste qui aura de véritables conséquences politiques. Le 28 août 1955, Emmet Till, un adolescent noir, est assassiné ; un mois plus tard, ses meurtriers sont acquittés au cours d'un procès bâclé ; l'Amérique est d'autant plus choquée que les criminels avoueront leur forfait une fois sortis des mains de la justice. Le verdict expéditif va justifier la lutte entamée depuis bien longtemps pour les droits civiques. Quel meurtre pourrait mieux caractériser l'état des rapports raciaux d'alors ?

Âgé de quatorze ans, originaire de Chicago et venu avec son cousin passer les vacances chez son grand-oncle à Money, dans le Mississippi – État de William Faulkner, de Tennessee Williams ou d'Elvis Presley, mais aussi bastion des ségrégationnistes et un des territoires du Ku Klux Klan –, Emmett Till est kidnappé en pleine nuit par Roy Bryant, un épicier, et par son demi-frère, J.W. Milam. Ceux-ci le battent à mort avant de le jeter, défiguré, dans la Tallahachie River avec une lourde charge attachée autour du cou à l'aide de fil de fer barbelé. Un pêcheur découvre le cadavre quelques jours après. Si les mobiles du meurtre varient selon les témoignages – la femme de Roy Bryant soutient par exemple que l'adolescent lui aurait manqué de respect et aurait proféré des propos indécents –, la « correction » administrée au jeune Noir par l'époux et le beau-frère est-elle proportionnelle à la provocation alléguée ? Toujours est-il qu'il y a mort d'un être humain. Qu'il y a crime. Que les mobiles sont de toute évidence racistes.

Bravant les pressions des autorités, la mère de l'adolescent exige que le cercueil reste ouvert durant la cérémonie, de sorte que chacun puisse se rendre compte de la barbarie de cet acte.

L'indignation suscitée par le forfait motive les investigations de Medgar Evers et Amzie Moore, deux membres de la *National Association for the Advancement of Colored People*. Ils se déguisent en paysans, pénètrent dans les champs de coton afin de réunir les éléments susceptibles d'élucider la disparition du gamin. Leurs recherches débouchent sur la découverte d'autres meurtres de Noirs dans la même région, eux aussi lynchés, puis jetés dans la rivière.

Et puis il y a le procès. Parce qu'il faut, quoi qu'il en soit, faire confiance à la justice de son pays. Le jury ? Il ne faut rien en espérer : il est composé de douze Blancs. Ceux-ci acquittent Roy Bryant et J.W. Milam après des délibérations qui auront duré à peine une heure. Un des membres du jury, sans doute heureux du dénouement, confie à sa sortie que ses homologues et lui ont dû prendre une bonne « pause soda » afin d'atteindre une durée de délibération acceptable aux yeux de l'opinion publique.

Le verdict sème le trouble dans toute l'Amérique. Le monde entier regarde. Quelle image va donner ce pays de lui-même alors que le contexte politique international est celui de la guerre froide et que le totalitarisme et les atteintes aux libertés individuelles sont le plus souvent imputés au bloc communiste, l'autre puissance, qui, à présent, guette la réaction de Washington ? En tout état de cause, la lenteur et l'embarras de l'administration américaine de l'époque sont âprement critiqués. L'Amérique, une fois de plus, prêche la liberté, reproche au monde entier sa barbarie, alors qu'elle n'est pas en mesure de lutter contre les atteintes aux droits civiques les plus flagrantes sur son propre territoire [104].

Blues for Mister Charlie reprend ces faits, mettant en scène le meurtre d'un jeune Noir musicien, Richard, par un Blanc propriétaire d'une épicerie, Lyle Britten.

Est-ce une pièce inspirée par la colère, ou écrite dans un esprit de revanche ? Au contraire, tu tiens à y glisser un message fraternel à travers le personnage du père de la victime, défenseur acharné des droits civiques, et dont l'amitié avec un Blanc libéral vise à proscrire tout jugement hâtif et toute généralisation.

Tu dédies le livre au militant des droits civiques, Medgar Evers, natif du Mississippi, assassiné en cette année 1963, cinq mois après la parution de *La prochaine fois, le feu*. Ce leader des droits civiques aura combattu inlassablement pour la cause noire. Patriote, il avait pris part au débarquement en Normandie. Pourtant, l'université du Mississippi, encore ségrégationniste à cette époque, lui avait fermé ses portes lorsqu'il avait posé sa candidature afin de poursuivre des études de droit. Ironie du sort, ce même établissement recevra pour la première fois un homme de couleur en la personne de James Meredith, une année avant l'assassinat du leader noir.

L'histoire retiendra aussi que Medgar Evers fut abattu le 12 juin 1963. Date anodine ? Non. Evers a été assassiné quelques heures après le discours télévisé du président Kennedy qui exprimait son soutien aux mouvements des droits civiques.

Blues for Mister Charlie reçoit des critiques mitigées. On te reproche, comme pour *La prochaine fois, le feu*, d'attiser la haine du Blanc alors même que la pièce décriée prône la tolérance et l'intégration. À l'occasion, le critique Walter Meserve attaque ton œuvre de dramaturge en des termes très secs : « Baldwin essaie d'utiliser le théâtre comme une chaire pour ses idées. Dans la plupart des cas, ses pièces de théâtre sont des pièces à thèse – bavardes, sermonneuses, ergoteuses, d'une écriture saturée, avec des dialogues véhiculant des clichés et des stéréotypes[105]... »

8.

De l'antisémitisme des Noirs

À Harlem, l'antisémitisme des Noirs est une réalité. Tu décides d'en parler. Exercice d'autant plus délicat que le simple fait d'aborder le sujet risque de te revenir dans la figure à l'instar d'un boomerang. En son temps, Karl Marx avait été taxé d'antisémitisme pour avoir répondu à *La Question juive* de son ancien maître Bruno Bauer — celui-ci s'étant déjà attiré les foudres des uns et des autres. Marx reprenait alors l'argumentation de Bauer et posait la question de l'*émancipation préalable* du groupe avant toute réclamation d'ordre général. Si Bauer, lui, affirme à juste titre qu'« il faut nous émanciper nous-mêmes avant d'émanciper les autres », Marx se demande dans quelle mesure l'émancipation est possible dans des États qui reconnaissent la Déclaration universelle des droits de l'homme, mais consacrent le principe de la propriété privée qui autorise tout propriétaire à jouir de son bien de la manière la plus absolue, et donc, par un tel pouvoir, d'instaurer une exploitation au détriment des plus démunis.

C'est, à quelques nuances près, la substance de l'article polémique que tu publies dans le *New York Times* en 1967, « Les Noirs sont antisémites, parce qu'ils sont antiblancs ».

Cet article est-il une réécriture de *La Question juive* de Bauer adaptée à la situation américaine ? En tout cas, tu pars d'un constat : à Harlem, c'est peu de dire que vous haïssez les propriétaires d'immeubles, vos logeurs. L'antisémitisme serait dicté par les conditions misérables dans lesquelles vivent les Noirs américains plus que par l'exécration aveugle d'un groupe de population qui détiendrait tout. Dans ces rapports « ambivalents » entre le Juif et l'homme de couleur, on retrouve une espèce de jeu de miroirs qui remonte à la période de l'esclavage des Noirs. Les souffrances et la persécution de Jésus sont systématiquement rapprochées de celles de l'esclave face à son maître. Mais à d'autres égards, le Noir emprunte l'histoire du Juif, il l'épouse même jusque dans ses moindres détails et, de ce fait,

« s'identifie presque entièrement avec le Juif. Le plus dévot s'imagine qu'il est effectivement un Juif soumis au joug d'un maître intraitable et attendant le Moïse qui l'emmènera hors d'Égypte[106]. »

D'où vient cette identification ? De la Bible, affirmes-tu, puisque ces « croyances » de l'Ancien Testament sont d'origine juive. Par un retournement de situation, le terme « Juif » serait employé par les Noirs de Harlem pour désigner « tous les infidèles à la peau blanche qui ont refusé d'accepter le Seigneur » et qui sont responsables de la mort du Christ[107].

Cet antisémitisme incube des mobiles plus feutrés, voire pernicieux : le Noir condamne le Juif parce que celui-ci est « devenu un Américain blanc » et jouit de ce statut qui le tire désormais de la « Maison de l'esclavage » de laquelle l'Américain de couleur a du mal à s'échapper, lui qui pourtant « était là avant, et y est depuis quatre cents ans »... Le Juif s'attendrait à ce que la communauté noire « comprenne » la souffrance qui fut la sienne, les actes perpétrés contre sa communauté au cours de l'histoire, et même dans la vie quotidienne. Dans l'absolu, le Juif et le Noir auraient en commun l'« expérience » de la souffrance et du rejet, la « tradition » de l'errance, de la quête d'un territoire. Or c'est de là que viendrait, d'après toi, le grand malentendu : « Le Juif ne réalise pas que le fait qu'il ait été haï et massacré ne suffit pas pour que le Noir le comprenne. Cela alimente plutôt la rage de celui-ci, parce que ce n'est pas en Amérique, ici et maintenant, que cette haine, que ce massacre ont eu lieu... [Le Juif] n'est pas détesté dans ce pays comme c'est le cas pour le Noir... L'Amérique l'a plutôt sauvé de la "Maison de l'esclavage" tandis que l'homme de couleur s'y trouve encore, et aucun pays ne peut l'en tirer. Tout ce qui arrive au Noir est dû au fait qu'il est américain[108]... »

L'exemple que tu prends pour étayer ces propos est celui d'un Africain vivant aux États-Unis. S'il arrive à celui-ci d'être la victime d'une exaction, d'une bavure policière, il peut au moins se retourner vers l'ambassade de son pays d'origine, qui assurera sa protection. Cet Africain a un pays, il a une nation derrière lui. À l'opposé, le Noir américain injustement emprisonné sera désemparé, il « verra sa cause presque perdue devant la cour, parce qu'il est natif des États-Unis et n'aura aucun recours, encore moins un autre endroit où aller, aussi bien à l'intérieur des États-Unis qu'à l'étranger. C'est un paria dans son propre pays et un étranger dans le monde[109]... »

Le Juif, penses-tu, est non seulement vu comme un Américain, mais il peut s'appuyer sur ses alliés du monde entier. Tu en déduis qu'il ne viendrait pas à l'idée de quiconque de demander au Juif d'être « non violent ». Lorsqu'il bataille pour sa terre d'Israël, cet acte est salué comme un fait héroïque : « Comment voulez-vous que le Juif n'estime pas que le Noir américain mérite sa situation actuelle parce qu'il n'a jamais été assez héroïque [110] ? »

*

* *

On vous a conditionnés à détester le Juif. L'exaspération grandit lorsque vous contemplez votre quartier métamorphosé en bidonville : les immeubles sont insalubres, les vitres des fenêtres, brisées, les peintures, défraîchies, les cages d'escalier, sur le point de craquer, le chauffage et la climatisation ne fonctionnent jamais quand il le faut, sans compter le défilé des cafards et des rats dans les appartements : « Quand nous grandissions à Harlem, la plupart de nos propriétaires fonciers les plus véreux étaient des Juifs, et nous les exécrions. Nous les haïssions parce qu'ils étaient des propriétaires impitoyables, ne s'occupaient pas de leur propriété... Nous savions que ces propriétaires nous traitaient de la sorte simplement parce que nous étions des personnes de couleur, et ils étaient conscients que nous ne pouvions pas quitter les lieux. [...] Tous n'étaient pas cruels, mais ils nous exploitaient tous, et c'est la raison pour laquelle nous leur vouions de la haine... [111] »

De telles allégations laissent entendre que tu généralises l'antisémitisme des Noirs de Harlem — et certains n'hésitent pas à te mettre en cause — alors même que ton texte manie l'ironie pour mieux saisir les gènes de cette haine née de plusieurs malentendus. Tu précises que tu as en face de toi un Américain d'abord, rien qu'un Américain, et non un Juif. Celui-ci se comporterait-il en commerçant malhonnête ? « Les Juifs de Harlem sont de petits commerçants, des encaisseurs de loyers, des agents immobiliers, des prêteurs sur gages ; leurs agissements sont conformes à la tradition américaine qui consiste à opprimer les Noirs. On les identifie par conséquent à cette oppression et, pour cette raison, on les hait [112]. »

Entre les deux communautés, une opposition à peine larvée définit le rapport des forces. La haine du Noir contre le Juif ne l'empêche pas de jouer un rôle, de se comporter avec hypocrisie, car il a besoin des services de celui qu'il abhorre : « Je ne me souviens pas d'avoir rencontré pendant mon adolescence, dans ma famille ou dans une autre, un seul Noir qui fût vraiment prêt à faire confiance à un Juif, et j'en ai connu bien peu qui n'aient pas manifesté à leur égard le plus noir mépris. Cela n'empêchait pas le Noir de travailler pour le Juif[113]... »

Et lorsqu'il t'est arrivé de discuter de l'épineuse question de l'arrivée des Noirs et des Juifs sur le sol américain, tes arguments étaient loin de convaincre ton interlocuteur. Par exemple, au cours d'un dialogue avec Budd Schulberg qui est juif, tu lâches des affirmations qui le révulsent : « J'aimerais, lui dis-tu, introduire une parenthèse à ce point... une dangereuse parenthèse, mais qui servira à éclairer quelque peu la rancœur du Noir américain. La voici : j'étais là avant. Je veux dire historiquement parlant. [...] Historiquement parlant, je suis ici depuis quatre cents ans. Disons que toi tu es descendu du bateau vendredi dernier, et tu ne sais pas encore parler anglais ; mais, mardi, je travaillerai pour toi[114]. »

La stupéfaction de Schulberg est grande. Sa réponse, cinglante, te déboussole quelque peu :

« Ce que tu me dis, là, "J'étais là avant", c'est une thèse musulmane à la con[115]. »

Schulberg fait ainsi allusion aux théories des Black Muslims alors en vogue avec Elijah Muhammad (un des fondateurs de la Nation de l'Islam) ou Malcolm X, qui, tous, proclament la prééminence de la race noire, prônent la lutte – par tous les moyens nécessaires – au nom de cette Nation de l'Islam dont Louis Farrakhan est aujourd'hui le leader. La cible principale est toute désignée : le « démon blanc » et, en cela, ces thèses sont taxées de racistes. Schulberg te persuade que de telles assertions ont servi d'ingrédients aux fanatiques et aux partisans de la suprématie d'un groupe sur un autre, et que les « Aryens aussi ont procédé de la sorte ».

Te ressaisissant, tu clarifies ta pensée et répètes que la théorie du « démon blanc » ne t'a jamais séduit : « Je n'ai pas le sentiment d'avoir jamais été ne serait-ce que vaguement attiré par la théorie du démon blanc. Ce n'est assurément pas moi qui la propagerai ou qui laisserai quelqu'un en diffuser l'enseignement à l'un ou l'autre de mes enfants, ni à quiconque m'est cher. Mais c'est à autre chose que j'essaie d'en venir[116]... »

D'en venir à cette idée que la souffrance du Juif serait considérée comme un pan de la morale mondiale. En tant qu'homme blanc, le Juif accéderait à un statut de héros, du fait des peines endurées et de leur remémoration – l'Amérique voue une admiration sans bornes au héros blanc –, alors que le Noir qui ferait de même serait accusé de raviver sa « barbarie naturelle ». En somme, l'attrait de l'Amérique pour le héros blanc la conduirait à un rejet catégorique du « mauvais nègre »[117]. C'est cette distinction qui, à ton avis, a accru l'antisémitisme des Noirs de Harlem à l'époque. Distinction qui affecte actuellement encore les rapports entre les deux groupes de population, au moment où, en France, la question de la « concurrence des mémoires » est mise sur la table.

Tu t'insurges par exemple contre le silence de la presse occidentale sur les atrocités commises par la Belgique lors de la colonisation du Congo. Aurait-on eu à reprocher ce silence s'il s'était agi d'une tragédie se déroulant dans le monde blanc ? Là commence la part de responsabilité que tu imputes au christianisme, puisque les exactions commises pendant la période coloniale s'accompagnaient d'une évangélisation des peuples dominés : « Et puisque le monde ne fut pas informé de la souffrance des autochtones, lorsque ceux-ci s'insurgèrent, ils ne furent pas considérés comme des héros défendant leurs terres, mais comme des barbares affamés de chair blanche. Le monde chrétien considéra la Belgique comme un pays civilisé, or il n'y avait aucune raison pour les Congolais de penser la même chose, ils ne pouvaient en aucun cas partager cette conception [118]. »

*
* *

Y aurait-il une disproportion dans l'indignation que peut susciter un événement, disproportion liée à une prétendue hiérarchie des communautés ? Examinons un fait qui s'est déroulé en France, sur notre territoire d'adoption : la mort du jeune Ilan Halimi dans une banlieue parisienne. Les faits relèvent, pour ainsi dire, du film d'horreur. Pendant plusieurs semaines, en effet, Ilan Halimi, vingt-trois ans, est le captif d'un gang de Bagneux qui le torture jusqu'à ce que mort s'ensuive [119]. Parce qu'il est juif. Le quotidien *Le Parisien* dévoile même à sa une que la population de cette banlieue était au courant de la séquestration du jeune homme et s'est gardée de la signaler aux autorités. On se souvient des premières pages de *Chronique d'une mort annoncée* de Gabriel Garcia Marquez...

La réaction de la classe politique est ferme et unanime devant ce crime aux mobiles clairement antisémites. L'événement choque le pays entier, d'autant que d'autres exactions antisémites ont été relevées quelques mois plus tôt.

Peut-on y voir la manifestation d'une « indignation à deux vitesses » ? En clair — et n'y allons pas par quatre chemins : l'assassinat d'un Noir en France, dans les mêmes conditions, aurait-il soulevé l'indignation générale ?

Sans doute les Noirs de France n'ont-ils pas encore pris conscience de cette « arme » qu'est l'indignation, prolongement de la posture de Gandhi, nouvelle forme d'action non violente. *L'indignation* telle que je l'entends, cher Jimmy, ne signifie pas l'extériorisation de la haine, encore moins le zèle qu'on déploie dans le dessein de vite réparer une injustice « par tous les moyens nécessaires », mais la mise à nu de l'événement, dans une lecture cohérente et objective. Par conséquent, la faculté de réaction d'une communauté conditionne l'interprétation que l'autre fera d'une tragédie. Plus l'indignation d'une communauté est grande, plus elle a des répercussions sur l'ensemble de la société et, par ricochet, sur les autorités politiques.

Or tout se passe comme si, face à une exaction, le Noir de France pensait d'abord à mesurer l'ampleur de l'indignation que susciterait un fait similaire dans une autre « communauté » qu'il estime protégée, mieux soutenue par les autorités politiques. Et, de là, il tire des conclusions, en particulier celle d'un système verrouillé par le Juif. Il est clair que la mort d'Ilan Halimi alimenterait la colère de tout être qui respecte la vie humaine – de même pour la mort du jeune Emmett Till dans le Mississippi –, parce qu'il s'agit d'abord et avant tout d'une vie d'homme anéantie. Le mobile antisémite – on pourrait dire *mutatis mutandis*, la couleur de la peau, les convictions politiques, etc. – rajoute à l'exaspération, à l'incompréhension et à la stupeur. Ilan Halimi est mort parce qu'il était juif. Il aurait pu aussi mourir parce qu'il était noir, parce qu'il était musulman, parce qu'il était un opposant politique.

En France toujours, le 25 mars 2006, quelques personnalités françaises dont Alain Finkielkraut, Jacques Julliard et Bernard Kouchner signent un *appel contre les* «*ratonnades anti-Blancs*» lancé par le mouvement sioniste Hachomer Hatzaïr et Radio Shalom à la suite des manifestations lycéennes ayant eu lieu deux semaines plus tôt sur le territoire : «Il y a deux ans, presque jour pour jour, le 26 mars 2003, quelques-uns d'entre nous lançaient un cri d'alarme. Quatre jeunes du mouvement Hachomer Hatzaïr venaient de se faire agresser en marge d'une manifestation contre la guerre en Irak parce qu'ils étaient juifs. Une tentative de lynchage en plein Paris, un scandale. La mobilisation des médias, des politiques, des simples citoyens, a été formidable. Mais aujourd'hui les manifestations lycéennes sont devenues, pour certains, le prétexte à ce que l'on peut appeler des "ratonnades anti-Blancs". Des lycéens, souvent seuls, sont jetés au sol, battus, volés, et leurs agresseurs affirment, le sourire aux lèvres : parce qu'ils sont français. Ceci est un nouvel appel parce que nous ne voulons pas l'accepter et parce que, pour nous, David, Kader et Sébastien ont le même droit à la dignité. Écrire ce genre de textes est difficile parce que les victimes sont kidnappées par l'extrême droite. Mais ce qui va sans dire va mieux en le disant : il ne s'agit pas, pour nous, de stigmatiser une population quelle qu'elle soit. À nos yeux, il s'agit d'une question d'équité. On a parlé de David, on a parlé de Kader, mais qui parle de Sébastien[120] ? »

Le parallélisme avec les États-Unis s'opère très vite : lors d'une conférence de presse, un des signataires de cet appel, le philosophe Alain Finkielkraut, prévient : « C'est la bataille Farrakhan qui nous pend au nez[121]. »

Le leader noir américain de la Nation de l'Islam, Louis Farrakhan, influencerait-il certaines âmes en France ? Je ne le pense pas. Pour la simple raison que l'idée d'une communauté noire de France est superficielle et que l'histoire des Noirs américains a un enracinement qui ne saurait être comparé à la présence des Noirs en France. Établir ce rapprochement, c'est voir en tout Noir un potentiel membre de la Nation de l'Islam, dans le sens où l'entendent les Noirs américains musulmans.

Bien longtemps, les Noirs de France ont cru — et peut-être le croient-ils encore — qu'avoir la même couleur de peau suffisait pour parler le même langage, regarder dans la même direction. Or l'Afrique est multiple, éclatée. La culture de tel pays africain n'est pas forcément celle de tel autre. Et puis, leurs déplacements, lorsqu'ils ne sont pas la conséquence de la politique coloniale française avec l'implication des ressortissants des colonies dans les différentes guerres européennes, relèvent beaucoup plus d'itinéraires individuels qu'aucune histoire collective n'a fait se croiser sur la « terre d'accueil ». Les études, l'asile politique, les raisons économiques, les guerres civiles sur le continent noir, ne sauraient « enfanter » une histoire commune – ces contingences ne sont pas l'apanage de la race noire.

À certains égards, je dirais que la communauté noire de France est une illusion, qu'elle n'existe pas. Pour la simple et bonne raison que l'existence d'une communauté est le résultat d'une construction à la fois intellectuelle et historique. L'existence en France d'une communauté dite noire supposerait alors une conscience, je veux dire *une autre conscience* fondée sur d'autres logiques que celles de la couleur de la peau et de l'appartenance à un même continent ou à un espace plus vaste, la *diaspora noire*, qui, d'ailleurs, de plus en plus, revendique sa singularité, son « *identité de rhizome* », comme dirait Édouard Glissant.

C'est par le présent, c'est par les rencontres, que se tisse cette identité commune – et nous sommes parfois surpris de voir combien elle entre en conflit avec l'idée d'une « racine principale », celle qui nous ramènerait tous à un passé unique.

Cette *autre conscience* – que les Noirs américains ont su développer tout au long de leur histoire tumultueuse –, cette autre conscience, disais-je, devrait prendre en compte l'expérience vécue sur le sol français. Le retentissement de l'*indignation* face à une injustice est tributaire d'une cause collective, celle-là même qu'on placerait au-dessus des intérêts personnels en une notion « abstraite » et liée à notre humanisme. Ainsi, lorsqu'on assiste à un acte raciste, lorsqu'on assiste à un acte antisémite, c'est notre humanisme qui en subit les meurtrissures.

*
* *

Cher Jimmy, le ressortissant d'Afrique noire est convaincu que l'Afro-Américain a réussi à créer aujourd'hui une communauté dont l'influence s'exerce sur tant de plans, qu'elle pèse sur le destin de la nation américaine tout entière. Et donc, face à une attitude injuste, face à un acte de racisme, de discrimination, le Noir d'Afrique aura le réflexe de se demander : « Mais qu'auraient fait nos frères noirs américains dans ce cas précis ? ». Quoi d'étonnants que certains observateurs s'alarment de voir importer en France les thèses « racistes » des Black Muslims ?

Quoi qu'il en soit, la comparaison avec la communauté noire américaine est plus que contrefaite dans la mesure où les Noirs de France n'ont pas la même *expérience de migration* et où l'« addition » qu'ils demandent à la France de payer n'est pas la même que celle des Noirs américains. Outre-Atlantique, la ségrégation raciale fut institutionnalisée – la France, au contraire, a joué un rôle significatif dans « l'élaboration, l'expression et l'émergence de la condition noire [122] », et ce grâce à la diversité des « migrations noires » qu'elle a connues et connaît encore de nos jours.

Les Noirs de France peuvent certes s'inspirer de leurs « frères » noirs américains et envier les droits que ceux-ci ont acquis aux États-Unis – mais faut-il rappeler, avec Fanon, que chaque droit fut arraché au prix de luttes sans merci à l'issue desquelles les États-Unis se retrouvèrent au pied du mur ? Ces luttes ont d'ailleurs donné naissance à de grands leaders qui sont entrés dans l'histoire contemporaine de l'Amérique. Et ces leaders noirs avaient ceci de commun qu'ils refusaient qu'on leur « contestât leur humanité ».

C'est toujours Fanon qui souligne : « Non, je n'ai pas le droit de venir crier ma haine au Blanc. Je n'ai pas le devoir de murmurer ma reconnaissance au Blanc... Si le Blanc me conteste mon humanité, je lui montrerai, en faisant peser sur sa vie tout mon poids d'homme, que je ne suis pas le "Y a bon Banania" qu'il persiste à imaginer[123]... »

9.

Le spectre de Saint-Paul-de-Vence

Alors qu'arrive l'été 86, le spectre de la mort plane sur Saint-Paul-de-Vence.

Tu te retires au fond d'une pièce, près d'une vieille cheminée, claustré, tu t'étends sur un matelas posé à même le sol, repoussant le verdict inexorable d'un revers de main autoritaire, moins vigoureux cependant qu'aux temps où ta hargne de militant des droits civiques et ta finesse d'essayiste faisaient trembler l'Amérique tout entière.

Jusqu'au dernier jour, jusqu'au dernier soupir, on t'entend frapper les touches du clavier de ta machine à écrire comme si tu souhaitais graver tes ultimes volontés, écrire la phrase que la postérité voudra bien retenir lorsqu'elle entendra évoquer ce nom qui peut-être ne lui dira alors plus rien : *James Baldwin...*

Insensible à ta force de travail et aveugle à la beauté, la Mort arrive sur les hauteurs de Saint-Paul-de-Vence en 1987. Elle ne prend pas le temps de contempler la splendeur des remparts, elle tourne le dos aux collines, à la Méditerranée et à l'Esterel. Elle passe par le vieux cimetière du village sans s'y attarder, car, cette fois, elle ne compte pas te rater. Elle te connaît, la Mort, mais de loin, peut-être incapable d'affronter tes grands yeux qui l'auraient scrutée des pieds à la tête.

Si, cette nuit-là, tu t'étais levé pour atteindre la fenêtre et l'ouvrir, tu aurais peut-être déchiffré les signes de mauvais présage : l'envol maladroit des passériformes égarés, le croassement des corbeaux inquiets du manteau noir revêtu par le ciel depuis des semaines. Tu aurais aussi aperçu les silhouettes errantes de ces artistes qui ont fait la réputation de Saint-Paul-de-Vence. Pourquoi veulent-elles loger dans le fameux hôtel *Le Robinson* et s'étonnent que celui-ci s'appelle désormais *La Colombe d'or* ? Les murs de *La Colombe d'or* sont ornés de peintures et de dessins de Braque, Picasso ou Matisse. Comment ne pas sourire en écoutant la légende qui rapporte que ces artistes payaient ainsi leur addition ? Peu importe, ces âmes errantes ont décidé d'aller traîner vers *La Pergola* ou *La Résidence*. Là encore, elles découvrent un nouveau nom : le Café de la Place. À ces amis illustres, tu aurais pu faire signe depuis la fenêtre. Matisse, Chagall, Renoir, Modigliani seraient les premiers à te répondre. Puis Cocteau et Prévert, suivis de très près par les gens du cinéma, Cayatte et Audiard. Ce dernier, pour te consoler de l'imminence de la mort, te lancerait : « L'idéal, quand on veut être admiré, c'est d'être mort. » Et, pour te tirer un éclat de rire, il ajouterait une des formules qui ont fait sa réputation : « Les Français m'agacent prodigieusement, mais comme je ne parle aucune langue étrangère, je suis bien obligé de parler avec eux. »

Les musiciens — je pense à Armstrong et à Miles — joueraient un morceau à réveiller cette campagne provençale. Oui, il y aurait aussi la voix de Bessie Smith. Elle entonnerait à coup sûr un air de *Back Water Blues*. Une fois de plus, tu serais ému par celle qui a chanté son désespoir tout en l'acceptant.

En arrière-plan, personnages à peine esquissés sur une toile, tu verrais Romy Schneider, Tony Curtis, Roger Moore, ton ami Yves Montand et Lino Ventura disputer une partie de pétanque. Tu te souviendrais de l'époque où tu découvris, fasciné, cette région et où tu logeais encore à l'hôtel *Le Hameau*, à quelques kilomètres du village en allant vers La Colle. Tu songerais alors au visage de ta grande amie Mary Painter qui te parla pour la première fois de Saint-Paul-de-Vence alors que tu avais besoin de repos après une période d'hospitalisation.

C'est en 1950 que tu rencontras Mary Painter à Paris, dans un bar. Elle travaillait comme économiste à l'ambassade des États-Unis. Tu n'as jamais caché ton amour pour elle, au point d'affirmer que tu compris en même temps que ne pas pouvoir l'épouser revenait à ne jamais pouvoir épouser une femme. En 1950, assumant déjà ton homosexualité, tu savais qu'il t'était impossible d'espérer vivre une relation sérieuse avec une femme. Et, comme le rappelle David Leeming, tu ne souhaitais pas vivre dans le mensonge, te retrouver dans la situation de l'un de tes personnages de *La Chambre de Giovanni*, David, qui, perturbé par son dilemme sexuel, devait mentir à sa fiancée Hella.

Tu restas toutefois proche de Mary Painter chez qui, régulièrement, rue Bonaparte, avec ton compagnon suisse Lucien Happersberger, vous écoutiez du Beetoven et du Mahalia Jackson, en savourant des cigarettes PX[124].

Donc, Mary Painter connaissait Saint-Paul-de-Vence pour y avoir passé des vacances avec son mari.

Après ce séjour à l'hôtel *Le Hameau*, tu emménages dans une des chambres d'une grande ferme appartenant à Jeanne Faure. Beaucoup se demandent d'ailleurs comment tu as réussi à convaincre cette dernière de t'ouvrir les portes de son domaine. Elle est en effet très méfiante à l'égard des personnes de couleur. Une méfiance proche de l'exécration. Tes biographes évoquent tous l'amertume de cette femme pied-noir, qui vécut en Algérie durant la période coloniale[125]. Ignorante et blessée, elle a toujours considéré que les Noirs avaient contribué à chasser les Français d'Algérie, sa terre natale. Il faudra les recommandations de Simone Signoret, d'Yves Montand et du patron de *La Colombe d'or* pour que le contrat de location soit signé. Lorsque plus tard elle te vendra une partie de son domaine, elle pensera utile de bloquer à l'aide d'une armoire la porte donnant sur la partie qu'elle occupe, alertant du même coup le voisinage afin de justifier son comportement : « On ne sait jamais à quoi s'attendre avec ces nègres[126]. »

139

Jeanne Faure n'est pas la seule à nourrir de tels sentiments. La peur de l'étranger – et qui plus est d'un homme de couleur – dans un petit village n'a rien de surprenant. Tu reçois des courriers anonymes d'insultes et de menaces. Ce n'est pas fait pour te décourager. Tu as connu situations plus désobligeantes. Il te suffit de dialoguer. Ton sens de l'ouverture, ta générosité brisent peu à peu ce mur. Tu marches, tu sillonnes le village, salues les habitants, invites certains à prendre un pot dans le bar du coin. Beaucoup sont surpris par une telle simplicité.

Avec le temps, même ta propriétaire devient moins méfiante à ton égard. Elle t'invite à dîner chez elle et ne s'offusque pas que tu lui rendes son invitation. Elle aime t'écouter parler de ton Amérique, de ton combat pour le bien-être de tes compatriotes, de ce que tu es en train d'écrire.

Le jour de l'enterrement de son frère, on remarque ta silhouette en tête du cortège. C'est dans le malheur qu'on découvre la profondeur des hommes. Désormais, Jeanne Faure est charmée par ce Noir qui fume à longueur de journée, tape à la machine et affiche sa bonne humeur. Beaucoup notent la présence de ta voisine lorsque le président François Mitterrand te remet la Légion d'honneur, en 1986. Et quand

140

Jeanne Faure décide enfin de quitter le village, elle te vend la propriété entière. Changement de sentiments ? Sans doute. Mais Mlle Faure a eu entre-temps des soucis financiers.

*
* *

Dans ton lit de souffrance, tu ne peux plus qu'imaginer ces silhouettes célèbres. Tu as une bataille à mener contre ta propre ombre. Le cancer gagne du terrain. Les traitements s'intensifient, te laissent croire que l'espoir et la foi l'emporteront. Qui ne le croit pas, d'ailleurs, surtout après l'opération du 25 avril 1987 qui te permet de te nourrir de nouveau et de reprendre ton travail ? Tu te consacres à la rédaction d'une pièce de théâtre, *The Welcome Table*.

L'accalmie est de courte durée. La maladie revient bientôt au grand galop. Tes proches resserrent les rangs. Ton compagnon Lucien Happersberger arrive de sa Suisse natale. Ton petit frère David, lui, débarque de New York. Il y a aussi ton secrétaire particulier, Hassel, toujours fidèle et dévoué. Les voisins t'entourent. Ils passent par là, frappent doucement à la porte entrouverte, et David les conduit vers toi. Ils viennent voir « Jimmy », celui qui a choisi Saint-Paul-de-Vence comme territoire, comme espace de liberté. Ils veulent entendre ton rire. Hélas, il a presque disparu, remplacé par un rictus figé dont on ne peut dire si c'est l'ébauche d'un sourire ou l'expression d'une douleur intérieure que tu t'évertues à cacher.

Les voisins ? Je pense surtout au musicien Bobby Short. Il vit non loin de là, à Mougins. Avec lui, vous poussiez naguère la chansonnette, lui au piano, tandis que David, de sa voix grave, convoquait ses souvenirs et le répertoire des vieilles chansons que tu avais composées, certaines alors que tu étais encore écolier.

David t'aide à passer de ton lit à ta table de travail. Parfois, dans un sursaut d'orgueil, tu refuses son aide qui t'apparaît comme une défaite. Malade, oui. Inapte, non. Tu redoutes de quitter ton lit pour voir ton frère t'y reconduire comme un gamin. Alors David, opiniâtre, a la délicatesse de te rappeler que tu l'as maintes fois porté sur ton dos dans son enfance. Pourquoi ne te porterait-il pas à son tour [127] ?

*

* *

142

Cette affection soudaine nourrit ton angoisse. L'angoisse de laisser derrière toi un voile de tristesse. L'angoisse de n'avoir pas achevé la dernière phrase. L'angoisse de te dire que tu vas rejoindre l'autre monde, et devoir discuter avec David Baldwin, ton père. Devoir lui dire combien il a eu tort de croire si longtemps qu'il n'était qu'une ordure, qu'il était noir, et d'ignorer qu'il était beau. Hassel, très superstitieux, avoue en privé avoir aperçu ton ombre sur le mur. Ainsi donc le moment fatidique est arrivé. Hassel en est convaincu. Pourtant, il se raccroche à l'idée qu'il t'a toujours vu repousser l'échéance de la mort, qu'il t'a toujours entendu affirmer que tu disparaîtrais de manière spectaculaire et non affaibli par la maladie. Hassel n'ignore pas que tu vois la Mort, que tu discutes maintenant avec elle. Non, tu ne veux pas négocier la date de ton départ. Tu as intégré l'idée de la disparition.

Hassel a bien des raisons de croire que tu survivras à ce 1ᵉʳ décembre 1987. Mais il y a cette ombre sur le mur qui l'envoûte. Peut-on survivre au présage ? C'est possible. Car, pense-t-il, tu es un être d'exception. Après tout, n'es-tu pas revenu de deux attaques cardiaques ? Ces alertes ne t'ont pas empêché de vaquer à tes occupations, d'honorer tes engagements à travers le monde,

143

même si tu as dû diminuer ta consommation de tabac et d'alcool.

Il faut vivre. C'est ainsi qu'en février 1987, alors que tu te trouves à Londres pour la représentation de ta pièce *Le Coin des Amen* au Tricycle Theatre, personne ne pourrait imaginer que tu as déjà ta chambre réservée dans un hôpital de Nice pour une opération relative à ton cancer.

Cette fois, les médecins ne peuvent plus rien. La situation est désespérée. Ton entourage te cache son désespoir et la gravité de ton état. Tu n'es pas dupe. Les médecins assurent cependant que tu passeras les fêtes de fin d'année sans danger.

Tu te prépares donc à organiser une grande réception à Saint-Paul-de-Vence.

En ces heures ultimes où le monde doit te sembler bien immobile, tu vois surgir une femme au visage couvert par un voile sombre. La curiosité te pousse à ôter ce voile : c'est elle, c'est ta mère. Elle essuie maintenant ses grosses lunettes de vue embuées par les larmes. Oui, Emma Berdis Jones se trouve quelque part dans cette chambre, malgré les milliers de kilomètres qui vous séparent. Tu lui téléphones régulièrement, et, depuis Harlem, elle t'écoute avec l'angoisse d'une mère qui a toujours cru son enfant fragile, pourtant consciente qu'il était prédestiné à porter le monde sur ses épaules.

Vos échanges sont immuables. Elle te prodigue des conseils comme autrefois lorsque tu étais le gamin de Harlem : faire attention à toi, ne pas te coucher trop tard, ne surtout pas trop fumer, encore moins boire, ne pas céder aux provocations de ceux qui t'attaquent parce que tu es devenu un homme public, parce que ton orientation sexuelle n'est pas la leur. Pour elle, malgré ton rayonnement international, tu es resté le petit Jimmy, celui qui la secondait à la maison...

*
* *

Ton horizon se réduit à présent aux quatre murs de ta chambre. Le biographe James Campbell osera d'ailleurs une description saisissante de cette chambre qui garde le secret de tes ultimes heures : une pièce plongée dans une obscurité apaisante mais dont les peintures murales créent une atmosphère hallucinatoire [128]. Dans ce confinement, on a le sentiment, précise Campbell, que Simone Signoret et tes autres amis morts depuis longtemps sont venus te donner des nouvelles de l'autre monde.

Tu as encore la force de donner une interview en novembre 1987 à l'écrivain et professeur Quincy Troupe, qui publiera, deux ans après ta mort, un livre collectif à ta mémoire[129]. Dans ces mélanges, on retrouve les voix de Toni Morrison, d'Amiri Baraka, de Maya Angelou, de William Styron, de Chinua Achebe et de Mary McCarthy, entre autres.

Les projets abondent dans ta tête, et tu as pris plusieurs engagements ici et là. Tu prévois par exemple de rédiger pour un éditeur londonien une longue introduction qui présenterait deux éditions en poche des romans de Richard Wright. Une présentation qui aurait sans doute été considérée par nombre de critiques et de biographes comme une réconciliation entre le maître et l'élève. Mais tu n'en auras pas le temps[130]...

En novembre 1987, tu as projeté de donner une grande fête dans ta demeure pour Thanksgiving. Tu imagines qu'il y aura du monde. Tes amis s'attableront dehors, tu fumeras en lançant quelques blagues.

Hélas, tu ne vivras pas cet adieu empli de rires et de chansonnettes.

Tu quittes ce monde le 1er décembre 1987. Ton corps, après avoir été salué par les habitants de Saint-Paul-de-Vence, est ramené dans le Harlem de ton enfance. Il est exposé à la cathédrale épiscopale de Saint-Jean-le-Divin. Tu entends depuis ta bière les sanglots des personnages célèbres du monde de la culture, mais aussi ceux des anonymes que tu as su conquérir.

Tu es inhumé au Ferncliff Cimetery de Hartsdale, à New York, le 8 décembre 1987.

10.

De la nécessité de te lire
ou de te relire aujourd'hui

Si tu reviens dans ce monde, cher Jimmy, tu
jugeras ton pays natal avec plus de sévérité encore
que de ton vivant. Les inégalités y sont plus
subtiles, plus feutrées, et dans une société qui n'a
pas encore résolu la question qui te tenait à cœur :
la redéfinition de l'identité américaine ou, plus
clairement, pour reprendre tes mots, la question
de l'*intégration* par la « force de l'amour ». Nous
n'en sommes pas encore au feu, heureusement.
De l'autre côté, pour peu que tu jettes un
regard sur la France, notre commun pays d'adoption, tu t'étonneras de constater que tes propos,
tes écrits gardent leur actualité. La France traîne
les casseroles bruyantes de son « entreprise
coloniale », un chapitre de son histoire d'ailleurs
si polémique qu'il existe désormais une ligne de

partage franche entre les tenants de la revendica-
tion systématique de la mémoire, de la « concurrence victimaire », et ceux qui en appellent à
la fin de « la tyrannie de la pénitence », selon
les formules de Pascal Bruckner qui, dès 1983,
évoque le « sanglot de l'homme blanc », « ses
larmes suspectes » [131]. Ainsi, l'auteur et essayiste
français, pour présenter *La Tyrannie de la
pénitence,* affirme : « Curieusement, nous vivons
aujourd'hui une situation de repentir à sens
unique : celui-ci n'est exigé que d'un seul camp,
le nôtre, et jamais des autres cultures, des autres
régimes qui se drapent dans leur pureté supposée
pour mieux nous accuser. Mais l'Europe accepte
trop volontiers le chantage à la faute ; si nous
adorons nous flageller et nous couvrir la tête de
cendres, n'est-ce pas que notre souhait secret est
de sortir de l'histoire, de nous abriter, peinards,
dans le cocon de la contrition, pour ne plus agir,
échapper à nos responsabilités ? La repentance
n'est peut-être rien d'autre que le triomphe de
l'esprit d'abdication... »

Plus tard, dans une préface à l'édition en poche
de ce même livre, Bruckner dévoilera les difficultés rencontrées à l'occasion de la publication
de son essai, preuve, s'il en était besoin, que ce
sujet reste très sensible dans une société française

qui s'est peu à peu construite sur une vision pour le moins manichéenne, opposant d'un côté les bourreaux, de l'autre, les victimes. La France est à l'heure de la fracture idéologique, avec la difficulté d'interpréter le sens de l'histoire et la nécessité de contenir la surenchère des revendications dont l'inventaire prendrait certainement des siècles.

Au-delà des réserves que l'on pourrait émettre sur certaines thèses de Bruckner — comment d'ailleurs, si l'on traite de ces questions, ne pas s'attendre aux raccourcis des contradicteurs les plus farouches, pas seulement dans le camp des « victimes », mais aussi dans son propre camp qui « sanglote » et se repent depuis —, on est obligé de répondre à sa main tendue et à son sens du dialogue : « Il n'y a pas de peuples innocents ou élus, il n'y a que des régimes plus ou moins démocratiques capables de corriger leurs fautes et d'assumer les égarements passés [132]... »

Au « triomphe de l'esprit d'abdication », qu'il combat, s'oppose le triomphe de l'esprit d'accusation de l'autre monde, qui, lui, estime avoir été en tout temps et en tout lieu le souffre-douleur des monstruosités de l'homme blanc et de son appétit de conquêtes. Entre ces deux positions antagoniques, entre le camp qui sanglote et celui

151

qui accuse, le cessez-le-feu n'est pas pour demain. Le sens de l'autocritique est une denrée qu'on ne trouve plus sur le marché. Ajouté à cela, l'absence d'une réflexion apaisée et objective mine encore la rencontre des peuples et ouvre un boulevard à la fameuse « concurrence victimaire ».

En 1961, cher Jimmy, ton ami Jean-Paul Sartre, dans sa préface aux *Damnés de la terre* de Frantz Fanon, légitimait cette théorie de la victimisation : « Nos victimes nous connaissent par leurs blessures et par leurs fers : c'est ce qui rend leur témoignage irréfutable. Il suffit qu'elles nous montrent ce que nous avons fait d'elles pour que nous connaissions ce que nous avons fait de nous. Est-ce utile ? Oui, puisque l'Europe est en grand danger de crever [133]. »

Aux Européens qui prétendent ne pas être responsables des conséquences de la colonisation — parce qu'ils ne se trouvaient pas dans les colonies, voyons ! —, Sartre rappelle l'obligation solidaire gravée dans leur conscience et qui est probablement la cause des larmes actuelles versées par l'Occident : « Ce sont vos pionniers, vous les avez envoyés, outre-mer, ils vous ont enrichis ; vous les aviez prévenus : s'ils faisaient couler trop de sang, vous les désavoueriez du bout des lèvres ; de la même manière, un État

– quel qu'il soit – entretient à l'étranger une tourbe d'agitateurs, de provocateurs et d'espions qu'il désavoue quand on les prend [134]... »

*

* *

Dans le même temps, cher Jimmy, la régulation stricte des migrations et la recomposition des États européens en un bloc ont créé des « individus sans citoyenneté fixe ». C'est toute la définition du statut de l'immigré qui doit être révisée. La présence de ces peuples originaires des anciens territoires français devient du coup l'objet de grands débats, d'une agitation démagogique lors des campagnes électorales.

L'immigré africain n'est plus le même, certes, et il faut désormais compter avec sa descendance, qui, sans être de « là-bas », doit néanmoins chercher sa place « ici ». Elle est écartelée entre deux, voire trois continents, et son lieu de naissance ne lui garantit aucun enracinement, tandis que les « valeurs de la République » auxquelles elle doit adhérer ne prennent pas en compte l'histoire de ses ancêtres. Les « petits-fils nègres de Vercingétorix » n'ont plus qu'à se reconnaître dans *Le Mauvais sang* de Rimbaud :

« J'ai de mes ancêtres gaulois l'œil bleu blanc, la cervelle étroite, et la maladresse dans la lutte. Je trouve mon habillement aussi barbare que le leur. Mais je ne beurre pas ma chevelure. Les Gaulois étaient les écorcheurs de bêtes, les brûleurs d'herbes les plus ineptes de leur temps. D'eux, j'ai : l'idolâtrie et l'amour du sacrilège ; – Oh ! tous les vices, colère, luxure, – magnifique, la luxure ; – surtout mensonge et paresse. »

Le fils de l'immigré pourrait même un jour ou l'autre être cueilli au sortir d'une école et reconduit à la frontière avec ses parents. C'est la politique de la prise en compte de la *diversité* qui est discutée – et tu t'étonneras aussi que s'installe désormais en France un débat sur la *discrimination positive*, et que ton pays natal soit parfois pris comme modèle à suivre.

Il y a encore du chemin à parcourir pour que nous saisissions enfin que l'autre n'est pas forcément synonyme de soustraction, et encore moins de division, mais d'addition, voire de multiplication, deux opérations dont nous ne pourrons plus faire l'économie dans un monde qui conteste plus que jamais la définition absolue des *identités nationales*.

C'est dans ce sens que le philosophe Achille Mbembe reproche à la France son manque

« d'éthique de l'hospitalité », largement prati-
quée par les États-Unis et qui a permis à ceux-
ci « de capter et de recycler les élites mondiales.
Au cours du dernier quart du XXᵉ siècle, leurs
universités et centres de recherche sont parvenus
à attirer presque tous les meilleurs intellectuels
noirs de la planète ».

Faut-il alors vanter les yeux fermés le modèle
d'hospitalité américain en la matière, cher Jimmy ?
Le philosophe camerounais argumente : « Que
nous le voulions ou non, les choses aujourd'hui et
dans l'avenir sont telles que l'apparition du tiers
dans le champ de notre vie commune et de notre
culture ne s'effectuera plus jamais sur le mode de
l'anonymat. Cette apparition nous condamne à
apprendre à vivre exposés les uns aux autres. Nous
disposons des moyens de retarder cette montée
en visibilité. Mais au fond, elle est inéluctable. Il
nous faut donc, au plus vite, faire symbole de cette
présence de telle manière qu'elle rende possible
une circulation de sens [135]. »

*
* *

Parallèlement, la relation entre le continent
noir et la France relève presque de la fable – dont

il nous faudra trouver un jour ou l'autre la morale. L'Europe et l'Afrique évitent en effet l'épreuve historique – ou du moins étouffent leur vision divergente –, mais murmurent toutefois leurs reproches respectifs lorsque tombe la nuit. Elles forment alors un couple qui masque en public leur incompatibilité d'humeur, se promettant de laver le linge sale en famille devant un juge des affaires matrimoniales agacé par un dossier qui traîne dans ses tiroirs depuis des siècles.

Ces époux ont-ils réellement un domicile ? Je n'en suis pas sûr, puisqu'ils se croisent dans les coins de ruelles, gèrent leurs différends à la hâte, se promettent de tout se dire plus tard. Mais l'un des deux n'est jamais à l'heure, rentrant quand bon lui semble, multipliant les infidélités, jurant cependant au nom de tous les saints son amour éternel.

Pour coller à la fable, cher Jimmy, je dirais que jadis, un coq traversa l'océan, échoua sur les côtes africaines, se passa du consentement des parents de la tourterelle, s'imposa comme époux, multiplia les violences conjugales, le tout avec une arrogance qui alla jusqu'à livrer la guerre aux autres prédateurs qui lorgnaient la basse-cour. C'est ainsi que dans mon pays, le Congo-Brazzaville, le coq gaulois et le lion belge faillirent s'entre-tuer pour une histoire de lopin de terre, n'eût été l'intervention de l'arbitre allemand qui les fit asseoir autour d'une table à Berlin pour le partage.

Le mariage du coq et de la tourterelle dura des décennies. Les années 60 furent celles du divorce, parfois par consentement mutuel, mais le plus souvent par l'émancipation à grand fracas de l'épouse, avec des pertes inestimables qui allaient grever l'héritage des enfants nés de cet hyménée. La répartition des biens fut décidée par le coq. Celui-ci partirait, mais l'épouse ne serait qu'une usufruitière. Le coq pourrait toujours revenir dans le domicile conjugal et se comporter en maître des lieux. En ce sens, il tint à désigner lui-même le nouvel époux. Lequel, au mieux, était allé à l'école française et avait fréquenté les universités, et, au pis, n'était qu'un ancien boy, un marmiton, un tirailleur sénégalais ou un militaire frustré, mais s'entendait bien avec le coq, auquel il jurait de veiller sur son ancien domaine.

Avec le temps, le nouvel époux devint capricieux, se fit construire des châteaux, s'autoproclama « général dans son labyrinthe », président à vie – voire à mort –, avec une canne et un costume traditionnel. Et nous sommes les enfants de ce divorce qu'il nous faut comprendre.

C'est aux anciens colonisés d'Afrique noire francophone qu'aujourd'hui tu aurais parlé en particulier, cher Jimmy. Parce que ce sont sans doute les seuls qui, depuis les « soleils des indépendances », depuis le refrain de la chanson de Grand Kallé, *Indépendance cha-cha*, sont restés sur les quais des gares, bernés, leurrés, à regarder circuler des trains fantômes, criant à la malédiction de Cham. Comment ne succomberaient-ils pas aux sirènes de la « concurrence victimaire » ?

C'est à eux que tu t'adresserais, j'en suis sûr.

Non pas pour les blâmer, mais pour les regarder en face, droit dans les yeux.

Pour leur dire que l'attitude de l'éternelle victime ne pourra plus longtemps les absoudre de leur mollesse, leurs tergiversations.

Pour leur dire que leur condition actuelle découle de près ou de loin de leurs propres chimères, de leurs propres égarements et de leur lecture unilatérale de l'histoire.

Il n'est pas de pire personnage que celui qui joue le rôle dans lequel on l'attend et qui facilite ainsi l'exploitation de son désespoir même par le plus médiocre des metteurs en scène. Le monde abonde désormais de ce type d'artistes à court d'idées, et il y a bien longtemps que la pitié du Nègre ne mobilise plus l'altruisme. Son salut n'est pas dans la commisération ni dans l'aide. S'il ne fallait que cela, tous les damnés de la terre auraient changé le cours de l'histoire.

Il ne suffit plus que je me dise Nègre pour que dans la mémoire de l'autre défilent les siècles d'humiliations que les miens ont subies.

Il ne suffit plus, cher Jimmy, que je me dise originaire du Sud pour exiger du Nord le devoir d'assistance dans son élan de tiers-mondiste, car je sais que l'assistance n'est que le prolongement subreptice de l'asservissement, et être Noir ne veut plus rien dire, à commencer par les hommes de couleur eux-mêmes. Frantz Fanon achève d'ailleurs *Peau noire, masques blancs* en des termes qui devraient nous inspirer dans la compréhension de notre condition : « Je ne veux pas être la victime de la ruse d'un monde noir. Ma vie ne doit pas être consacrée à faire le bilan des valeurs nègres. [...] Je ne suis pas prisonnier de l'histoire. Je ne dois pas y chercher le sens de ma destinée... Dans le monde où je m'achemine, je me crée interminablement [136]. »

À défaut de rechercher la définition de son statut, il vaut mieux chercher à interpréter, à démêler le sens des mots, ce qu'ils véhiculent, ce qu'ils impliquent pour le destin de l'homme de couleur. Au fond, ce sont les définitions qui nous enferment, nous ôtent la faculté de nous « créer interminablement », d'imaginer un autre monde. Et tant que ces définitions paraîtront absolues, la question de l'autre se posera avec acuité. C'est dans ce sens que je comprends l'alerte que tu lances : « Et, en fait, la vérité quant à l'homme noir en tant qu'entité historique et en tant qu'être humain lui a été cachée délibérément, cruellement. La puissance du monde blanc est menacée chaque fois qu'un Noir refuse d'accepter les définitions imposées par le monde blanc [137]. »

*
* *

Albert Memmi publia en 2004 *Portrait du décolonisé arabo-musulman et de quelques autres*, où il se proposait de faire le bilan de la condition d'ancien colonisé, un demi-siècle après « les soleils des indépendances ». On constate dans cet ouvrage combien, avec la perte des repères, la descendance de l'immigré s'invente, ou plutôt épouse d'autres formes de culture qui font aujourd'hui l'objet d'abondantes études.

Les enfants des immigrés vivent en effet une exclusion qui finit par les conduire vers la délinquance, souligne Memmi. Déroutés, ils se tournent vers la culture venue de ton pays natal – j'allais dire : du milieu noir américain –, que certains qualifient de « sous-culture », avec ce que cela peut comporter d'aspects négatifs : « Ayant refusé l'identification aux parents, se croyant rejetés par les majoritaires, il ne reste plus au fils d'immigré qu'à exister par lui-même. Il lui faut donc rechercher un modèle ailleurs que dans la société majoritaire, hors des frontières [...] Bien entendu, il ne va pas copier les conservateurs étrangers, chez qui il va retrouver les mêmes refus, mais les opposants et les marginaux ; dans ce que l'on appelle la sous-culture, américaine de préférence, principalement chez les Noirs [138]. »

Le fils d'immigré qui « emprunte » la « sous-culture » noire américaine se crée un statut qui rappelle un peu le tien au moment où tu cernais ta condition de Noir américain en Europe : tu venais de quelque part, et pourtant l'Europe ne s'expliquait pas tes origines. À ceci près qu'ici c'est le fils d'immigré qui ignore que la « sous-culture » noire qu'il choisit a longtemps exprimé un besoin de retour vers ce territoire mythique aux yeux du Noir américain : l'Afrique.

Le fils de l'immigré, poursuit Memmi, « ne sait pas toujours, croyant puiser chez les Noirs, que les Noirs sont allés chercher leur inspiration en Afrique, non seulement à cause de la commune couleur de la peau, mais parce que, se jugeant encore dominés par les Blancs, après en avoir été les esclaves, ils croient ainsi retrouver leurs origines d'avant l'oppression [139]. »

Le refuge dans la sous-culture est ainsi un réflexe pour tout groupe se considérant comme victime de la marginalisation. Il se crée alors un réflexe grégaire, une volonté collective de rejet de la vision majoritaire du monde. Tout personnage qui se lève contre l'Occident devient le héros de ces minorités. Nous l'avons vu, cher Jimmy, à la suite des événements qui ont changé la face du monde le 11 septembre 2001

Enfin, en inventant leur propre langage et un code vestimentaire dérivé de ceux des Afro-américains, les jeunes immigrés affichent de cette façon leur révolte, défient les forces de l'ordre qui, dans leur esprit, les regardent comme de perpétuels « indigènes de la République »…

Dialogue avec Ralph, l'homme invisible

J'ai marché hier le long de la plage de Santa Monica Beach dans l'espoir de croiser le vagabond à qui je dédie cette *Lettre à Jimmy*. Je ne l'ai pas aperçu depuis un moment et je commence à m'en inquiéter.

J'ai demandé à un vendeur de glaces s'il n'avait pas vu errer ce personnage aisément reconnaissable à ses ballots de vêtements sur le dos. Le vendeur non plus ne l'avait pas revu depuis quelque temps.

Je suis alors remonté vers Ocean Boulevard et me suis attablé à la terrasse du *Ma'kai*, mon manuscrit entre les mains. J'ai entrepris de relire les premières pages du texte car, dans quelques jours, il me faudra l'envoyer à l'éditeur, en France. Mais je ne pourrai le faire sans avoir retrouvé ce vagabond.

*

   * *

J'étais plongé dans la lecture lorsqu'un coup de klaxon m'a fait sursauter.

En relevant la tête, j'ai failli bondir de joie : « mon » vagabond traversait l'avenue alors que le feu pour les piétons était encore rouge. Il approchait du *Ma'kai*.

Je me suis levé et je lui ai fait signe. Il a détourné le regard, hâtant le pas vers le boulevard Santa Monica. J'ai rapidement payé l'addition pour le suivre. Près d'un grand hôtel, je l'ai vu s'asseoir sur un banc et ouvrir son ballot de vêtements. Du désordre de ses affaires, il a extrait un livre : *Invisible Man*, de Ralph Ellison...

J'ai sorti un billet de cinq dollars et le lui ai tendu. C'était un prétexte pour engager la conversation.

— Vous aussi, vous me prenez pour un clochard ? Je vois, je vois, fit-il...

— En fait, je...

— Ne vous excusez pas, je vous en prie. Asseyez-vous.

— Vous aimez Ralph Ellison ? demandai-je pour changer de sujet.

164

— Je le lis tous les jours. Si j'avais un lit, je dirais que c'est mon « livre de chevet »… Disons que c'est mon livre de plage, ou plutôt mon livre de sable. En plus, moi-même je m'appelle Ralph, alors c'est un peu comme si j'avais écrit ce livre.

— Je ne vous ai plus revu à Santa Monica Beach, Ralph.

— Moi je vous vois tous les jours.

— Ah bon ?

— Je sais même où vous habitez !

— Comment ça ? Vous rigolez, Ralph !

— C'est une longue histoire.

— On ne peut pas en parler maintenant ?

— Non, je n'ai pas envie… Sachez seulement que vous vivez dans mon ancien appartement.

Je suis resté coi, à la fois dubitatif et saisi par une soudaine angoisse.

— Vous croyez que je délire, c'est ça, hein ? fit-il.

— Admettez quand même que…

— Renseignez-vous et revenez me voir.

— Je ne vous ai plus revu depuis un moment !

— Oh, je change parfois d'endroit. Le mois dernier j'ai rêvé que des gens m'agressaient par ici. Alors je suis allé me reposer vers la plage de Venice. C'est bien, là-bas, mais c'est trop fréquenté. En plus les gens marchent sur mes châteaux et je ne peux pas lire tranquillement mon Ralph Ellison.

— Mais vous détruisez vous-même vos châteaux, parfois.

— Et alors ? C'est moi qui les construis ! J'ai le droit de faire ce que je veux de mes châteaux. Que les gens viennent les détruire, c'est ça que je ne supporte pas. Ils ne réalisent pas le temps que ça me prend.

— Je voudrais vous parler de quelqu'un, d'un auteur. Cette année c'est le vingtième anniversaire de sa mort...

— James Baldwin ?

— Comment le savez-vous ?

— C'est écrit là, sur ce document que vous avez entre les mains. Et j'aperçois aussi sa photo.

— Ah oui... En fait, je viens de vous dédier *Lettre à Jimmy*, le texte que je fais paraître en France en hommage à cet auteur qui a habité là-bas.

— Sans blague ! Et pourquoi me le dédier à moi ? Je n'ai jamais lu Baldwin !

— Je vous offrirai demain un de ses livres.

— Ne vous tracassez pas, je ne lis que Ralph Ellison. Les autres, c'est pas mon truc.

— Mais pourquoi Ralph Ellison ?

— Parce que, voyez-vous, moi aussi je suis un homme invisible. Je suis un Blanc, mais en réalité je suis un Noir… Et comme je suis un Blanc, on ne me voit pas, on ne voit pas ma misère puisque je suis du côté de la majorité. Et depuis, je vis comme ça, dans l'espoir que Dieu me rende ma vraie peau un jour.

— Je ne comprends pas…

— Vous ne pouvez pas comprendre. Passez me voir demain.

— Où ?

— Dans un de mes châteaux, je vous parlerai de l'endroit où vous habitez, vous saurez tout, et je vous montrerai des choses.

— À quelle heure ?

— Vers 16 heures. Au fait, n'oubliez surtout pas de m'apporter un livre de James Baldwin.

Ouvrages et articles consultés

(Sauf indication contraire, les citations que j'ai tirées des ouvrages ou articles non disponibles en français ont été traduites de l'anglais par mes soins.)

Baldwin, James
Chronique d'un pays natal, essais, Paris, Gallimard, 1973.
Collected Essays (Notes of a Native Son, Nobody Knows My Name, The Fire Next Time, No Name in the Street, The Devil Finds Work, Other Essays), Selected by Toni Morrison, The Library of America, New York, 1998.
« Freaks and the American Ideal of Manhood », *Playboy*, Juanuary, 1985.
Chassés de la lumière, essais, Paris, Stock, 1972.
« Negroes Are Anti-Semitic Because They're Anti-White », *New York Times*, 9 avril 1967.
Un autre pays, roman, Paris, Gallimard, 1973.

La Chambre de Giovanni, roman, Paris, Rivages, 1997.

Blues for Mr. Charlie, théâtre, New York, Vintage, 1995.

La prochaine fois, le feu, essai, Paris, Gallimard, 1963, « Folio » (avec une préface d'Albert Memmi), 1996.

La Conversion, roman, Paris, Rivages, 1999.

Beecher Stowe, Harriet

Uncle Tom's Cabin, Barnes & Noble Classics, 2003, Introduction and Notes by Amanda Claybaugh.

Binn, Sheldon

Recension de *La prochaine fois, le feu, New York Times,* 31 janvier 1963.

Boto, Eza (Beti, Mongo)

Ville cruelle, roman, Paris, Présence africaine, 1954.

Le Pauvre Christ de Bomba, roman, Paris, Présence africaine, 1956.

« Enfant noir », article paru dans la revue *Présence africaine,* 1954.

Bruckner, Pascal

Le Sanglot de l'homme blanc. Tiers-monde, culpabilité, haine de soi, essai, Paris, Seuil, 1983, « Points », 2002.

La Tyrannie de la pénitence : essai sur le masochisme occidental, essai, Paris, Grasset, 2006.

Campbell, James
Exiled in Paris, University of California Press, 1995.
Talking at the Gates, A Life of James Baldwin, New York, Penguin Books, 1991.

Césaire, Aimé
Cahier d'un retour au pays natal, Paris, *Présence africaine*, 1983.

Cleaver, Eldridge
Soul on Ice, Delta/Dell, 1967, 1999.

Coles, Robert
« James Baldwin Back Home », *New York Times*, 31 juillet 1977.

Depardieu, Benoît
James Baldwin, Paris, Belin, 2004.

Fabre, Michel
La Rive noire, Marseille, André Dimanche Éditeur, 1999.

Fanon, Frantz
Les Damnés de la terre, Paris, Gallimard, «Folio», 1991, p. 42.
Peau noire, masques blancs, Paris, Seuil, 1952, «Points», 1995.

Frèche, Émile
La Mort d'un pote, Paris, Éditions Panama, 2006.

Garrett, Daniel
Off Screen, vol. 8, Issue 12, 31 décembre 2004.

Goodman, Paul
«Not Enough of a World to Grow in», *New York Times,* 24 juin 1962.

Laye, Camara
L'Enfant noir, Paris, Plon, 1954. Nouvelle édition (avec notre préface), Plon, 2006.

Leeming, David
James Baldwin, A Biography, New York, Penguin Books, 1995.

Mbembe, Achille
«Francophonie et politique du monde», article paru sur notre site (www.alainmabanckou.net) le 24 mars 2007.

McBride, Dwight A.
« The Parvenu Baldwin and The Other Side of Redemption », in *James Baldwin Now*, New York University Press, 1999.

Memmi, Albert
Portrait du décolonisé arabo-musulman et de quelques autres, Paris, Gallimard, 2004.

Meserve, Walter
The Black American Writer: Poetry and Drama, vol. II.

Njami, Simon
James Baldwin ou le devoir de violence, Paris, Seghers, 1991.

Rowley, Hazel
Richard Wright: The Life and Times, Henry Holt, New York, 2003.

Schulberg, Budd
La Forêt interdite, suivi de *L'Atelier d'écriture de Watts* et de *Dialogue en noir et blanc*, Paris, Rivages Poche, 2004.

Standley, Fred L., et Pratt, Louis H.
Conversations with James Baldwin, University Press of Mississippi, 1989.

Stoskopf, Alan
The Murder of Emmett Till: A Series of Four Lessons,
    Facing History and Ourselves Website.

Thomas, Dominic
Black France, Colonialism, Immigration, and Transnationalism, Bloomington, Indiana University Press,
    2007.

Troupe, Quincy
Miles Davis : The Autobiography, New York, Simon
    and Schuster, 1989.

QUELQUES ŒUVRES DE JAMES BALDWIN
DISPONIBLES EN FRANÇAIS

La Chambre de Giovanni, traduction d'Élisabeth Guins-
bourg, roman, Paris, Rivages, 1997.

La Conversion, traduction de Michèle Albaret
Maatsch, roman, Paris, Rivages, 1997.

Un autre pays, traduction de Jean Autret, roman,
Paris, Gallimard, 1996.

Harlem Quartet, traduction de Christiane Besse,
roman, Paris, Stock, 1987.

Jimmy's Blues, traduction de Hubert Nyssen et
Philippa Wehle, poèmes, Paris, Actes Sud, 1985.

Meurtres à Atlanta, traduction de James Bryant, essai,
Stock, Paris, 1985.

Le Coin des Amen, traduction de Marguerite
Yourcenar, théâtre, Gallimard, 1983.

Si Beale Street pouvait parler, traduction de Magali
Berger, roman, Paris, Stock, 1975.

Chronique d'un pays natal, traduction de J. A. Tour-
naire, essai, Gallimard, Paris, 1973.

Le jour où j'étais perdu, traduction de Magali Berger,
Stock, Paris, 1973.

Chassés de la lumière, traduction de Magali Berger, essais, Paris, Stock, 1972.

L'Homme qui meurt, traduction de Jean Autret, roman, Paris, Gallimard, 1970.

Face à l'homme blanc, traduction de Jean-René Major, nouvelles, Gallimard, Paris, 1968.

La prochaine fois, le feu, traduction de Michel Sciama, essai, Gallimard, Paris, 1963.

Personne ne sait mon nom, traduction de Jean Autret, essai, Gallimard, Paris, 1963.

NOTES

1. *La prochaine fois, le feu*, Paris, Gallimard, 1963; coll. «Folio» (avec une préface d'Albert Memmi), 1996, p. 112.
2. *Ibid.*, p. 112.
3. *Ibid.*, p. 112.
4. James Baldwin, *Chronique d'un pays natal*, Gallimard, 1973, p. 71.
5. *Ibid.*, p. 72.
6. Fred Stanley, Louis H. Pratt, *Conversations with James Baldwin*, University Press of Mississippi, 1989, p. 77-78.
7. *Ibid.*, p. 199.
8. David Leeming, *James Baldwin, A Biography*, Penguin Books, 1995, p. 3.
9. Benoît Depardieu, *James Baldwin*, Belin, 2004, p. 20-21.
10. *Chronique d'un pays natal*, *op. cit.*, p. 23.
11. *Ibid.*, p. 113-114.
12. David Leeming, *James Baldwin, A Biography*, *op. cit.*, p. 6.
13. Fred Stanley; Louis H. Hatt, *Conversations with James Baldwin*, *op. cit.*, p. 78.

14. *Ibid.*, p. 161.
15. James Campbell, *Talking at the Gates, A Life of James Baldwin,* Penguin Books, 1991, p. 10.
16. *Ibid.*, p. 40.
17. *Ibid.*, p. 37.
18. *Ibid.*, p. 38.
19. *Chronique d'un pays natal*, *op. cit.*, p. 16.
20. *La prochaine fois, le feu*, *op. cit.*, p. 57.
21. *Ibid.*, p. 61.
22. *Ibid.*, p. 58.
23. *Ibid*, p. 125.
24. *Ibid,* p. 107.
25. *Ibid.*, p. 25.
26. *Chronique d'un pays natal*, *op. cit.*, p. 110-111.
27. Benoît Depardieu, *James Baldwin, op. cit.*, p. 17.
28. David Leeming, *James Baldwin, A Biography*, *op. cit.*, p. 17.
29. *La prochaine fois, le feu*, *op. cit.*, p. 98.
30. *Ibid.*, p. 14.
31. *Chronique d'un pays natal*, *op. cit.*, p. 10.
32. Michel Fabre, *Rive noire*, André Dimanche Éditeur, 1999, p. 71.
33. *Chronique d'un pays natal*, *op. cit.*, p. 16.
34. Robert Coles, « James Baldwin Back Home », *New York Times*, 31 juillet 1977.
35. *Ibid*.
36. James Campbell, *Exiled in Paris*, University of California Press, 1995, p. 24.
37. Hazel Rowley, *Richard Wright : The life and Times*, Henry Holt, 2003.

38. James Baldwin, *Collected Essays*, The Library of America, 1998, p. 259.
39. David Leeming, *James Baldwin, A Biography*, *op. cit.*, p. 49.
40. *Chronique d'un pays natal*, *op. cit.*, p. 10.
41. David Leeming, *James Baldwin, A Biography*, *op. cit.*, p. 52-53.
42. James Campbell, *Exiled in Paris*, *op. cit.*, p. 24.
43. Benoît Dutertre, *op. cit.*, p. 28-29 (citation tirée de *Nobody Knows my Name*, p. 202-204, et traduite par B. Dutertre).
44. *Chronique d'un pays natal*, *op. cit.*, p. 19-31.
45. *Ibid.*, p. 20.
46. Amanda Claybaugh, « Introduction and Notes », in *Uncle Tom's Cabin*, Barnes & Noble Classics, 2003, p. XXXVI.
47. *Chronique d'un pays natal*, *op. cit.* p. 26-27.
48. Benoît Depardieu, *James Baldwin*, *op. cit.*, p. 80.
49. Amanda Claybaugh, « Introduction and Notes », *op. cit.*, p. XIV-XV.
50. *Ibid.*, p. XVIII.
51. *Chronique d'un pays natal*, *op. cit.*, p. 27.
52. *Ibid.*, p. 23-24.
53. Amanda Claybaugh, « Introduction and Notes », *op. cit.*, p. XXXII.
54. *Chronique d'un pays natal*, *op. cit.*, p. 32-57.
55. *Ibid.*, p. 30.
56. *Ibid.*, p. 45.
57. *Ibid.*, p. 44.
58. James Campbell, *Exiled in Paris*, *op. cit.*, p. 31.

59. *Collected Essays*, *op. cit.*, p. 258.

60. *Ibid.*, p. 260.

61. Langston Hughes, *New York Times*, 26 février 1958.

62. James Campbell, *Exiled in Paris*, *op. cit.*, p. 29.

63. Camara Laye, *L'Enfant noir*, Plon, 1954. Nouvelle édition, avec notre préface, Plon, 2006).

64. Eza Boto, *Ville cruelle*, *Présence africaine*, 1954; *Le Pauvre Christ de Bomba*, *Présence africaine*, 1956.

65. Aimé Césaire, *Cahier d'un retour au pays natal*, Présence Africaine, 1983.

66. Mongo Beti, « Enfant noir », article paru dans la revue *Présence africaine* en 1954.

67. Lilyan Kesteloot, *Anthologie négro-africaine.panorama critique des prosateurs, poètes et dramaturges noirs du XXᵉ siècle*, Edicef, 1987.

68. Simon Njami, *James Baldwin ou le devoir de violence*, Seghers, 1991.

69. James Campbell, *Talking at the Gates, op. cit.*, p. 71.

70. Dwight A. McBride, « The Parvenu Baldwin and the Other Side of Redemption », in *James Baldwin Now*, New York University Press, 1999, p. 234.

71. *Collected Essays*, *op. cit.*, p. 594-600.

72. *Ibid.*, p. 597.

73. *Ibid.*, p. 597.

74. James Baldwin, « Freaks and the American Ideal of Manhood », *Playboy*, janvier 1985, repris in *Collected Essays, op. cit.*, p. 814-829.

75. *Collected Essays, op. cit.*, p. 815.

76. *Ibid.*, p. 814.

77. *Faggot*, «pédé», le mot alors en vigueur et qu'allait même employer Wright.
78. *Collected Essays, op. cit.*, p. 821.
79. *Ibid.*, p. 820.
80. James Campbell, *Exiled in Paris, op. cit.*, p. 33.
81. Eldridge Cleaver, *Soul on Ice*, Delta/Dell, 1967, 1999, p. 124.
82. Paul Goodman, «Not Enough of a World to Grow in», *New York Times*, 24 juin 1962.
83. Benoît Depardieu, *op. cit.*, p. 80.
84. James Baldwin, *Un autre pays*, Gallimard, 1964, p. 39.
85. *Ibid.*, p. 39.
86. David Leeming, *James Baldwin, A Biography, op. cit.*, p. 56.
87. *Chronique d'un pays natal, op. cit.*, p. 71-72.
88. *Ibid.*, p. 145.
89. Dominic Thomas, *Black France, Colonialism, Immigration, and Transnationalism*, Indiana University Press, 2007, p. 10.
90. *Ibid.*, p. 88.
91. *Chronique d'un pays natal, op. cit.*, p. 149.
92. *Ibid.*, p. 150.
93. Frantz Fanon, *Peau noire, masques blancs, op. cit.*, p. 179.
94. *La prochaine fois, le feu, op. cit.*, p. 128.
95. David Leeming, *James Baldwin, A Biography, op. cit.*, p. 121-122.
96. James Campbell, *Talking at the Gates, op. cit.*, p. 109.
97. Aimé Césaire, *Cahier d'un retour au pays natal, op. cit.*, p. 22-23.

98. Sheldon Binn, *New York Times*, 31 janvier 1963.

99. *La prochaine fois, le feu, op. cit.*, p. 20.

100. *Ibid.*, p. 134-135.

101. Frantz Fanon, *Les Damnés de la terre*, Gallimard, « Folio », 1991, p. 43.

102. *La prochaine fois, le feu, op. cit.*, p. 135.

103. *Ibid.*, p. 135.

104. Alan Stoskopf, *The Murder of Emmett Till : A Series of Four Lessons*, Facing History and Ourselves Website.

105. Walter Meserve, *The Black American Writer : Poetry and Drama*, vol. II.

106. *Chronique d'un pays natal, op. cit.*, p. 83.

107. *Ibid.*, p. 82.

108. James Baldwin, « Negroes Are Anti-Semitic Because They're Anti-White », *New York Times*, 9 avril 1967.

109. *Ibid.*

110. *Ibid.*

111. *Ibid.*

112. *Chronique d'un pays natal, op. cit.*, p. 84-85.

113. *Ibid.*, p. 85.

114. Budd Schulberg, *La Forêt interdite*, suivi de *L'Atelier d'écriture de Watts* et de *Dialogue en noir et blanc*, Rivages Poche, 2004, p. 280-282.

115. *Ibid.*, p. 281.

116. *Ibid.*, p. 283.

117. James Baldwin, « Negroes Are Anti-Semitic Because They're Anti-White », *op. cit.*

118. *Ibid.*

119. Émile Frèche, *La Mort d'un pote*, Éditions Panama, 2006.

120. *Le Nouvel Observateur*, 25 mars 2006.

121. *Ibid.*

122. Dominic Thomas, *Black France, op. cit.*, p. 10.

123. Frantz Fanon, *Peau noire, masques blancs, op. cit.*, p. 185-186.

124. David Leeming *James Baldwin, A Biography, op. cit.*, p. 77.

125. James Campbell, *Talking at the Gates, op. cit.*, p. 239.

126. *Ibid.*, p. 240.

127. *Ibid.*, p. 282.

128. *Ibid.*, p. 281.

129. Quincy Troupe, *James Baldwin, The Legacy*, Simon and Schuster, 1989.

130. James Campbell, *Talking at the Gates, op. cit.*, p. 281.

131. Pascal Bruckner, *Le Sanglot de l'homme blanc. Tiers-monde, culpabilité, haine de soi*, Seuil, 1983, et, récemment, *La Tyrannie de la pénitence : essai sur le masochisme occidental*, Grasset, 2006.

132. Pascal Bruckner, préface au *Sanglot de l'homme blanc*, Seuil, « Points », 2002, p. IV.

133. Jean-Paul Sartre, préface aux *Damnés de la terre* de Frantz Fanon, Gallimard, « Folio », 1991, p. 42.

134. *Ibid.*, p. 41.

135. Achille Mbembe, « Francophonie et politique du monde », article sur notre site (www. alainmabanckou. net), le 24 mars 2007.

136. Frantz Fanon, *Peau noire, masques blancs, op.cit.*, p. 186.

137. *La prochaine fois, le feu, op. cit.*, p. 96.

138. Albert Memmi, *Portrait du décolonisé arabo-musulman et de quelques autres*, Gallimard, 2004, p. 141-142.
139. *Ibid.*, p. 142.

Cet ouvrage a été composé en Granjon par Palimpseste à Paris

Impression réalisée sur CAMERON par
BRODARD ET TAUPIN
La Flèche

pour le compte des Éditions Fayard
en août 2007